CU00693216

Un pape noir au Vatican

Cyrille Lucien Ekeou

Un pape noir au Vatican

Roman

LE LYS BLEU
ÉDITIONS

© Lys Bleu Éditions – Lucien Ekeks

ISBN : 979-10-377-1233-2

Le code de la propriété intellectuelle n'autorisant aux termes des paragraphes 2 et 3 de l'article L.122-5, d'une part, que les copies ou reproductions strictement réservées à l'usage privé du copiste et non destinées à une utilisation collective et, d'autre part, sous réserve du nom de l'auteur et de la source, que les analyses et les courtes citations justifiées par le caractère critique, polémique, pédagogique, scientifique ou d'information, toute représentation ou reproduction intégrale ou partielle, faite sans le consentement de l'auteur ou de ses ayants droit ou ayants cause, est illicite (article L.122-4). Cette représentation ou reproduction, par quelque procédé que ce soit, constituerait donc une contrefaçon sanctionnée par les articles L.335-2 et suivants du Code de la propriété intellectuelle.

La place Saint-Pierre est toujours aussi attrayante. Les unes après les autres, les colombes tournoient dans le ciel pour offrir aux visiteurs un irrésistible ballet synchronisé. Leurs ailes ornées d'innombrables plumes s'abattent simultanément sur les masses d'air, et font planer sur ce lieu un climat de sérénité et de piété. Ce haut lieu de prière convient davantage aux hommes pieux, qu'à ces chrétiens qui se laissent amuser par les corps de religieuses dissimulées sous les coupes de robes aussi variées que la pléthore de congrégations dans l'église.

Le caractère religieux de ce lieu n'empêche pas les curieux de venir assister à la parade des gardes suisses, dont les accoutrements extravagants s'apparentent à ceux de mascottes publicitaires.

Dotée d'une touche architecturale entretenant sans cesse le mythe et le mystère de la foi, la basilique Saint-Pierre focalise à elle seule toutes les attentions. Les statues et les images d'anges et de saints rappellent au visiteur que ce lieu est l'ambassade du Christ sur terre, et à cet effet, il doit se laisser transporter par la contemplation, et omettre les interrogations. Quel dogmatisme !

Un lieu n'a jamais été autant admiré et controversé que le très hermétique et mythique Vatican. Sa basilique, où reposent de nombreuses reliques sur lesquelles est bâtie l'église, fait depuis toujours l'objet de polémiques de toutes sortes. Le Vatican inquiète, impressionne et fascine selon le courant philosophique ou l'éthique de celui qui l'approche. Les voix n'ont cessé de se lever contre cette institution, dont les secrets enfouis dans ses chambres n'ont pas été trouvés ni révélés au grand public jusqu'à présent. Les cachotteries, dont est accusé le Vatican, n'ont fait qu'accroître la curiosité des uns et des autres, qui se demandent comment accéder au Saint des Saints de l'Église catholique romaine, pour percer le mystère qui la fonde. Que d'hommes aimeraient avoir un tel privilège ! Cependant, seule une poignée peut se targuer d'avoir pu explorer le Saint-Siège. Comment aurait-il pu en être autrement, du moment que les écritures disent : « *Beaucoup sont appelés, mais très peu sont choisis* ». Malgré ce système d'entonnoir, où de la multitude ne sont sélectionnés et retenus que quelques-uns, les hommes ne se lassent pas d'entreprendre des actions susceptibles de leur ouvrir les portes du Vatican.

En ce premier jour de l'an, une puissante et influente organisation secrète a décidé de réunir ses plus grands maîtres. Les convocations ont été envoyées des jours plus tôt par des émissaires, aux différents membres disséminés et dispersés à travers le monde. Dotée d'un sens organisationnel exceptionnel, cette incontournable organisation secrète, dont les tentacules s'étendent bien au-delà de la vieille Europe, a su orchestrer l'arrivée de ses convives, de façon à ce qu'elle se déroule à l'abri des regards indiscrets.

Londres, capitale de Grande-Bretagne et berceau de ce courant philosophique et ésotérique, est demeurée la ville dans laquelle se tiennent ses plus grandes et déterminantes réunions. Cette fois, contrairement aux précédentes, l'aéroport international d'Heathrow n'a pas été retenu, et ne sera pas utilisé comme porte d'entrée par les invités. Un petit aéroport privé a fait l'unanimité, à cause de l'insignifiant trafic aérien qu'il connaît. Sur le tarmac de ce petit aéroport privé méconnu du grand public, car utilisé par le MI6 pour ses opérations secrètes, les avions se succèdent sur les pistes. À bord des différentes passerelles des voitures luxe attendent de transporter d'éminentes personnalités.

La loge mère, la grande loge de Londres a convoqué ses adeptes et pas des moindres. Les chefs d'État les plus puissants du monde, ainsi que la tête couronnée la plus respectée de l'époque moderne. Tous ont répondu présents, nul n'est absent…

Le cortège de voitures a quitté une des banlieues de Londres, pour se perdre dans les multiples routes et autoroutes, qui font de la capitale britannique l'une des villes les plus enviées de la planète.

Très pointilleux sur les questions d'ordre et de sécurité, cet ordre ésotérique par la voix de son grand maître n'a cessé de marteler aux différents adeptes, même les plus célèbres, de toujours se munir de l'enveloppe marquée du sceau de l'organisation, et de la présenter avant de franchir les portes des loges. Pour la circonstance, les locaux de la Franc-maçonnerie ne seront pas utilisés pour abriter cette réunion décidée à la hâte par le grand maître Sir Smith. L'occasion est unique pour ce quinquagénaire à l'allure imposante, d'annoncer à ses bien-aimés frères qu'il vient d'être nommé à la tête de la très redoutable agence d'espionnage britannique. Lui dont les éloquents états de service sont parmi les meilleurs de Grande-Bretagne, à cause de son goût du détail, n'a rien laissé au hasard. Il a organisé l'accueil et la réunion avec une précision telle que, la moindre faille relèverait d'une opération du Saint-Esprit. Il n'a pas lésiné sur les moyens pour que la réussite de cet événement majeur soit effective. Afin d'éviter d'attirer l'attention des journalistes fouineurs, une résidence secrète du MI6 a été réquisitionnée pour abriter la réunion. L'événement doit être d'une grande importance pour prendre autant de précautions. Les réunions des Francs-Maçons se déroulent habituellement en plein cœur de Londres, dans les locaux de l'ordre. En ce matin, malgré les températures polaires, les hommes et les femmes ont répondu présents à l'invitation du grand maître. Londres est toute blanche, à cause de la pluie de neige qui s'abat sur elle. Les flocons, perchés sur les toitures de maisons et immeubles, donnent un visage autre à l'architecture des édifices anglais. Dans les rues, on se croirait au pôle nord. Les hommes, les femmes et les enfants ayant troqué leurs vêtements habituels avec ceux d'esquimaux.

Dans la grande salle minutieusement préparée sous les ordres de Smith, l'on se croirait sous les tropiques, à cause de la chaleureuse ambiance régnant entre convives. Ici, en plus des accolades de retrouvailles, l'on se tapote, rit, discute des affaires du monde, et trinque des coupes de champagne en main. Dans ce manoir du MI6 retenu par son directeur pour que la réunion demeure secrète, l'on ne retrouve pas les truelles et les équerres. Toutefois, sur le tissu bleu ciel qui habille la grande salle, sont dessinés tous les symboles maçonniques, de façon à faire régner dans ce lieu improvisé en loge, une ambiance propre à l'idéologie maçonnique. Sur l'estrade, spécialement conçue pour la circonstance, se dresse un pupitre, sur lequel se tient Sir Smith, revêtu de tous les symboles faisant de lui le plus grand maître de la Franc-maçonnerie, toutes obédiences confondues. Sa présence a réussi à ramener le silence dans la salle envahie par les murmures.

— Bonne arrivée et bonne année bien-aimés frères.

Les invités répondirent en levant haut les verres.

— L'heure est venue pour nous de nous réapproprier l'héritage que nous a légué notre frère et grand bâtisseur Salomon.

— Savons-nous où se trouve le parchemin ?

— Nos informateurs sont formels. Après de longues recherches, nous savons qu'il a été dérobé par les sbires d'un ancien pape.

— Le Vatican ! s'exclamèrent certains. Surpris de ce que l'Église catholique ait caché le plus recherché et convoité des parchemins.

— Oui le Vatican. Nous devons tous faire front contre cette institution qui détient notre héritage.

Cette déclaration crée visiblement un malaise chez certains convives. La plupart sont des chrétiens catholiques de premières heures. Décelant en eux une hésitation à rentrer en guerre contre le Vatican, Sir Smith veut resserrer les rangs.

— Sachez bien-aimés frères, qu'à cause de notre appartenance à l'ordre nous avons de hauts postes de responsabilités, ainsi que des comptes en banque bien garnis. Ne perdons pas de vue le fait que nos pères fondateurs ont consenti de nombreux sacrifices pour faire de nous des privilégiés. Si nous tenons à maintenir nos trains de vie, retrouvons ce parchemin quitte à faire tomber le Vatican.

Les dires du grand maître divisent l'assemblée. D'une part, les cupides et avides de pouvoir, et de l'autre, ceux qui sont prêts à servir les intérêts de l'ordre, mais pas au point de détruire l'Église catholique. Cette extraordinaire réunion est sur le point de fragiliser et fragmenter la loge-mère. Les points de vue divergent. Pour preuve, sortant de sa réserve, un membre jeta un pavé dans la mare.

Pourquoi avons-nous toujours besoin de dominer encore et encore ? Ce que nous avons est largement suffisant.

— Oui. Contentons-nous de ce que nous possédons et laissons le Vatican tranquille, déclara un autre.

— Si nous ne mettons pas la main sur ce parchemin, vous finirez tous par perdre le pouvoir dans vos pays respectifs. Vos peuples se soulèveront et vous serez traînés devant les tribunaux pour crimes économiques et autres.

À peine la mise en garde terminée, un autre maître maçon continua.

— Sachez tous dès aujourd'hui que la démocratie fut conçue parce que nous avions perdu la trace du parchemin.

— Ah bon ? s'exclama l'assistance.

— Eh oui, la perte de ce parchemin a réveillé l'humanité du sommeil dans lequel elle était plongée. La seule façon de taire les revendications fut de penser à la démocratie. La seule chose capable de soumettre l'humanité entière est le parchemin de Salomon. Ainsi aucune voix ne s'élèvera plus contre aucun pouvoir aussi dictatorial qu'il soit.

— Rien ne garantit que ce parchemin ait autant de pouvoir.

— Réveillez-vous. Avez-vous déjà un soulèvement au Vatican ? demanda le grand maître.

Nul n'osa répondre. Pour étayer son argumentaire, il fait comprendre à ses chers hôtes qu'il n'y a point de démocratie au Vatican ni de soulèvement, parce qu'il y est caché le plus puissant des parchemins sur terre.

Après un moment de silence, Sir Smith revient à la charge.

— Le vent tourne en notre faveur. Le MI6, dont je viens d'être nommé directeur, sera désormais notre bras armé. Nous utiliserons ses renseignements et sa logistique pour récupérer le parchemin qui nous revient de droit, et soumettre ainsi le monde à notre volonté.

— Et comment procéderons-nous ?

— Nous mettrons sur pied une opération secrète, mais coûteuse. À cet effet, votre générosité est sollicitée.

Sir Smith, grand maître de la loge, a réussi à rassembler ses troupes. À présent, tous sont unanimes. Le parchemin doit être récupéré, quitte à faire perdre des plumes au Vatican.

Après des débats plus ou moins houleux, après la décision de reprendre coûte que vaille le parchemin, les invités passent aux festivités. La salle habillée d'un tissu bleu ciel marqué des symboles maçonniques se vide. Les uns et les autres se dirigent vers l'autre pièce, où attend un banquet. Le service est libre. Chacun se retrouve dans ce menu hétéroclite composé de plusieurs mets. Des spécialités africaines aux européennes, sans oublier le caviar. Le champagne coule, les vins de qualité aussi, dans les coupes et les gorges, sous des airs de musique classique, voire ésotérique. Les adeptes de la loge-mère fêtent à leur manière le premier jour de l'an. La fête terminée, ils repartent les uns dans leurs résidences, et les autres dans les hôtels, avant de regagner les jours suivants leurs pays respectifs.

Sir Smith est très heureux d'avoir reçu la bénédiction de ses pères. Le feu vert pour lancer l'opération « Colombe blanche » lui a été donné. Il ne reste qu'à le mettre en exécution, et cela ne tardera pas.

Il réunit une équipe de choc pour élaborer et planifier l'opération « Colombe blanche ».

— L'opération « Colombe blanche » est une opération décidée par 10 Downing Street. Elle est classée secret-défense. Votre professionnalisme doit primer sur vos émotions et convictions religieuses.

— En quoi consiste cette opération, monsieur le directeur ?

— Nous devons récupérer un objet au Vatican, cela relève de la sécurité nationale. Aucune erreur ne sera tolérée de la part des agents sur le terrain.

— Cela exige-t-il notre présence au sein du Vatican ?

— Pas forcément, nous avons plusieurs options.

— Lesquelles ?

— Nous pouvons provoquer un incendie au Vatican, puis jouer les pompiers.

— Cela n'est pas crédible.

— Nous pouvons sacrifier un bouc émissaire.

— Soyez plus explicite.

— En exécutant un citoyen britannique sur le sol du Vatican, nous y aurons accès pour les enquêtes, cela nous aiderait à asseoir une stratégie pour récupérer l'objet en question.

— Non, c'est trop risqué, trancha Sir Smith.

Dans une des salles du MI6, chacun des dix agents retenus pour l'opération secrète « *Colombe blanche »,* est à pied d'œuvre pour trouver l'astuce qui justifierait la présence d'agents britanniques au Vatican.

— Monsieur le directeur, je propose que soit enlevé le Pape lors de sa prochaine visite.

— Pas mal comme idée. Où ira-t-il et dans combien de temps ?

— Il doit se rendre dans un pays africain. Et comme nous le savons, ces pays n'ont pas de services de sécurité rigoureux. Nous pouvons facilement réussir la prise d'otage.

— Et pour cela, quel est votre plan d'action ?

— D'abord, nous prendrons contact avec certains militaires africains que nous inviterons ici.

— Stop ! Vous ne devez laisser aucune trace. Recevez-les là où vous voudrez, allez même dans la jungle, mais pas sur le sol britannique.

— Je rectifie.

— Vous avez intérêt, le temps nous est compté.

14

— Avant la prise d'otage, nous demanderons à un haut gradé africain de nous donner à des détails près l'itinéraire papal.

— Pensez-vous qu'il le fera si facilement et naïvement ?

— Je pensais à l'arroser de dollars.

Une voix se lève aussitôt.

— Je suis contre cette approche.

— Et pourquoi ?

— Çà frise la corruption, monsieur le directeur.

Ces paroles décrispèrent l'ambiance studieuse qui régnait dans la salle : tous les agents, y compris le directeur, rient aux éclats. Ah ah ah ah ah ah… L'agent Donald qui parle de corruption ne comprend pas pourquoi un sujet aussi sérieux peut autant amuser.

— Je suis devenu un clown de cirque, autant quitter les lieux, dit-il, contrarié.

— Non, agent Donald, restez. Vos lumières pourront nous éclairer pour la suite.

— Oh, mon Dieu ! je n'avais pas si bien ri il y a longtemps.

— Mon cher Donald, tu devrais le plus souvent assister à nos séances de travail.

— Écoutez, je constate qu'il n'y a aucun sérieux ici. J'ai des rapports sur le Koweït à finir. Je prends congé de vous.

Joignant l'acte à la parole, il se leva et se fit aussitôt rappeler à l'ordre par le directeur.

— Revenez agent Donald. C'est un ordre.

L'accalmie regagna la salle et le directeur demanda à chacun de se rendre utile.

— Où en étions-nous ?

— Monsieur le directeur, l'agent Donald s'indigne de ce qu'on veuille corrompre les agents africains. Nous lui rappelons qu'en Afrique, de la tête des États au plus petit agent, tous sont pourris.

— Je ne suis pas de votre avis agent White. Il y a des États sérieux en Afrique.

— Je conviens avec vous, reste que le pays dans lequel se rend le pape dans un mois, n'est ni un exemple de démocratie, encore moins de bonne gouvernance.

L'agent Donald profondément opposé à des méthodes peu orthodoxes interrompt à nouveau son collègue.

— Agent White, nous ne sommes pas ici pour juger un État ou un peuple. Nous avons été convoqués pour travailler à la réussite de l'opération « *Colombe blanche* ».

— Je l'admets agent Donald, certifia Sir Smith.

Impatient de trouver la meilleure formule pour reprendre le parchemin magique, le directeur du MI6 et grand maître de la grande loge de Londres demande à ses agents de lui faire des propositions concrètes pour le succès de l'opération.

— Agent White, j'attends de vous des avancées dans votre complot du kidnapping du pape.

— Oui monsieur, je propose que nous donnions de l'argent à un haut gradé des services de renseignement du pays africain concerné.

— Avez-vous des liens avec le haut gradé en question ?

— Si, c'est un vieux au ventre ballonné que j'ai connu lors d'un stage à Saint Cyr.

— Agent White, épargnez-nous de vos remarques déplacées sur les autres.

— Je n'invente rien du tout, il a effectivement un ventre ballonné.

— Coupons court agent White, combien devra-t-on lui donner ?

— Un million de dollars.

— Non seulement la somme est exorbitante, en plus payer l'agent africain lui mettra la puce à l'oreille. Il se doutera de quelque chose de louche dans notre approche.

— L'agent Coll n'a pas tort, prolongea le directeur.

— Que préconises-tu donc ? demanda l'agent White visiblement agacé d'être toujours contrarié par ses collègues.

La seule femme du groupe des onze espions présents suggéra.

— Il faudrait simplement demander les renseignements au pays africain concerné.

— Comment justifier cela, agent Margaret ?

— Nous dirons que c'est dans le souci d'une meilleure protection du Pape en Afrique.

— Vous faites preuve d'un amateurisme inquiétant, avança l'agent White.

— Et pourquoi ? rétorqua Donald.

— Parce que le pays africain en question est une colonie française. Si nous demandons de tels renseignements, la DGSE sera informée et nous aurons les Français sur le dos.

— Je suis de votre avis agent White, assura Sir Smith

En ce matin du deuxième jour de l'an, l'agent Donald paraît moins gai. Peut-être parce qu'il s'est vu écourter ses congés, ou simplement parce qu'il ne porte pas en cœur son collègue White. Une rivalité, une espèce de guerre froide règne en permanence entre ces deux hommes, qui aimeraient chacun s'attirer la sympathie du directeur, pour le poste vacant de directeur adjoint. Dans cette guerre entre espions de même agence, tous les coups sont permis : du sabotage au dénigrement, pourvu qu'un l'emporte sur l'autre. Pour le directeur, peu importe la personne ou la manière, ce qui importe pour ce maître franc-maçon, c'est la reprise du parchemin magique, dont a hérité son mouvement ésotérique.

Décider à invalider tous les plans de son rival, l'agent Donald se lance dans une démonstration visant à prouver la dangerosité des solutions envisagées par l'agent White.

— Sous votre respect monsieur le directeur, payer, corrompre ou amadouer des agents africains, c'est beau, mais en fin de compte l'on remontera à nous. En plus, j'aimerais que notre cher collègue nous dise davantage sur le kidnapping du pape.

— Agent White, en quoi consiste exactement votre plan d'action ?

Au sein du MI6, l'agent White n'est pas perçu d'un bon œil. Plus d'une personne l'envie et le jalouse, à cause de l'importance accordée à ses propositions par les instances dirigeantes de l'agence.

Il est de loin le plus fin des stratèges. La réussite de nombreuses opérations pensées, planifiées et menées par lui à travers le monde, lui a valu le poste de directeur des opérations secrètes du MI6. C'est fort de son expérience et de son talent de grand comploteur, que le directeur l'a expressément convoqué pour apporter ses lumières à la conception et à l'exécution de l'opération. Invité à donner des détails sur son plan, l'agent White explique qu'après avoir eu connaissance du lieu où résidera le pape en terre africaine, les agents devront s'y pointer, neutraliser ses gardes et attendre l'arrivée du Saint-Père. Dès son arrivée, les autres hommes l'accompagnant devront également être affaiblis et ligotés, avant de le faire passer aux aveux. Cette partie intéresse les autres agents qui se demandent quelle formule utilisée pour qu'une fois le pape kidnappé, il indique l'endroit où se cache le parchemin.

En principal rival, l'agent Donald s'empresse de demander.

— Agent White, nous sommes curieux de savoir comment vous comptez obtenir du pape l'information demandée ?

— Aussitôt tous ses gardes maîtrisés, nous lui ferons cracher le morceau.

— Sainte mère de Dieu, vous parlez de torturer le pape ! s'exclama Donald les mains sur la tête.

— C'est toi qui parles de torture. Ce mot n'est jamais sorti de ma bouche, rétorqua White.

— Tu viens de le dire. Je prends à témoin tous les agents ici présents.

— J'ai parlé de lui faire cracher le morceau, et non de le torturer.

— Je reviens à vous, agent White. Après avoir versé de l'argent à votre contact, les traces remonteront jusqu'à nous et cela mettrait en danger l'agence.

— Je partage les inquiétudes de l'agent Donald, affirma Sir Smith qui poursuivit en disant.

— Comment comptez-vous, nous épargner d'être éclaboussés par votre plan ?

— Je propose que nous payions l'officiel Africain depuis les comptes du petit groupe d'islamistes que nous avons formé au Yémen.

— Continuez.

— En virant l'argent depuis les comptes de ce groupe classé terroriste, cela compromettra notre collègue africain, qui se verra accuser d'avoir vendu à Al-Qaïda les informations sur le pape.

Cette brillante idée est saluée par des claquements de mains. Dans la salle, les agents en présence applaudissent le génie de White, forçant Donald à faire de même, et à reconnaître à son rival la qualité de grand tacticien. L'idée est certes bonne, mais un détail inquiète le directeur.

— Votre idée est excellente, seulement ce groupe n'est pas encore crédible.

— J'en ai conscience, monsieur.

— Et que proposes-tu ?

— J'aimerais que nous fournissions armes et explosifs à ce groupe, pour qu'il frappe les intérêts occidentaux dans le Golfe. Cela contribuera à le diaboliser, et son classement sur la liste des mouvements terroristes ne sera qu'une question de minutes.

— Très bien agent White. Dans quel pays devra-t-il frapper, et quelle cible ?

— Étant donné que nous sommes à la base, je propose que soient frappés les intérêts britanniques à Dubaï.

— Non mais tu es complètement fou. Tuer des citoyens britanniques ? s'exclame Donald.

— Oui, il le faut. De cette façon, l'enquête reviendra au MI6, et ainsi nous couvrirons nos arrières.

— Je trouve l'idée excellente, atteste l'agent Margaret.

— Qui devrait être visé d'après vous ?

— Je pense à une compagnie pétrolière britannique qui a refusé, il n'y a pas longtemps, de nous laisser opérer sur son site en Afrique, pour une opération contre un géant chinois.

— Vous avez carte blanche pour l'opération agent White. Tel fut le dernier mot du directeur.

L'agent White vient une fois encore de remporter haut la main, la gestion d'une opération secrète.

Quelques heures après s'être vu remettre le commandement des opérations dans le Golfe, il est à pied d'œuvre. Il fait appel à un faussaire pour la production de faux passeports européens, à même de faciliter l'entrée d'activistes yéménites aux Émirats Arabes Unis.

Dans sa politique d'infiltration des réseaux terroristes, en vue de leurs démantèlements, l'agence britannique d'espionnage a créé un semblant d'organisation terroriste. Une petite cellule composée de plusieurs jeunes yéménites formés et entraînés. Ce pseudo groupe terroriste fut créé pour s'attirer la sympathie de réels groupes terroristes. Ce petit groupe avait pour mission d'infiltrer les grands groupes, puis communiquer au MI6 les informations susceptibles de les aider à non seulement déjouer les attentats, mais aussi à frapper les potentiels refuges et camps d'entraînement. Ledit groupe terroriste du nom de « Groupe Moktar » n'était en principe qu'un appât permettant aux filets du MI6 de facilement attraper les gros poissons dans sa lutte contre la terreur. Le petit groupe sans histoire, va à présent être instrumentalisé pour détruire des vies. Ainsi de simple organisation, il deviendra une organisation terroriste.

Dans les bureaux du MI6, l'agent White a, au bout du fil son collègue africain au ventre ballonné, à qui il parle d'une opération secrète. Pour une parfaite et discrète collaboration, il lui est promis un appartement à Paris ainsi qu'une somme d'un million de dollars. L'homme est ravi, et voudrait que lui soient déjà données des instructions pour la suite. L'agent White promet de le rappeler dans les jours à venir. Entouré de son équipe composée de quatre experts, il est fier de l'apport garanti par son collègue africain.

Au fur et à mesure qu'il avance dans les préparatifs des attentats visant à tuer des citoyens britanniques et à détruire leurs intérêts à Dubaï, l'agent White fait un rapport quotidien au directeur.

Quelques jours plus tard, deux agents décollent d'Heathrow à bord d'un avion de ligne. Après une brève escale à l'aéroport international de Dubaï, les voici à Sanaa, capitale du Yémen. Ils y sont accueillis par un diplomate. Après quelques accolades, les trois hommes prennent place dans une voiture « Corps Diplomatique », et quittent l'aéroport. Une fois dans les locaux de l'ambassade britannique, les trois hommes s'expliquent et arrangent discrètement la rencontre avec deux jeunes yéménites du groupe Moktar, à qui ils remettent des passeports. Au même moment, une autre équipe vient d'atterrir à l'aéroport Al Maktoum de Dubaï. Ils ont eux aussi rejoint l'ambassade britannique, où ils apprêtent explosifs et autres accessoires devant servir à l'attentat.

Les préparatifs de l'attentat sont en bonne voie. L'agent White chargé de l'organisation des opérations dirige tout depuis son bureau de Londres. Tout est prêt pour le feu d'artifice. C'est en ces mots qu'il conclut son rapport journalier à son directeur. En d'autres termes, les explosifs et les kamikazes sont prêts. Il ne reste qu'aux locaux de la compagnie pétrolière de voler en éclat.

Les deux jeunes yéménites du groupe Moktar viennent de fouler le sol de Dubaï. Ils sont conduits dans un hôtel où ils passeront leur première nuit aux émirats. Au lendemain de leur arrivée, ils subissent un briefing de la part des agents du MI6. Quelques minutes plus tard, ils sont conduits sur les lieux où doit s'effectuer l'attentat. Les futurs kamikazes font ainsi le repérage des lieux, en compagnie des agents britanniques qui leur donnent des précisions sur le mode opératoire. Est également fixée l'heure à laquelle doit avoir lieu l'attaque, en vue de faire le maximum de victimes, pour que l'attentat soit le plus retentissant possible. La direction du MI6 par la voix de ses agents sur le terrain, communique l'horaire aux futurs terroristes. L'attaque aura lieu à 10 h 30, heure de Dubaï. Les dernières instructions données, les agents remettent aux futurs terroristes une première tranche du montant convenu pour l'opération. Dix mille livres sterling. Le reste leur sera remis après l'opération.

La nuit vient de tomber à Dubaï. Les deux yéménites ont du mal à s'en convaincre. Les nuits à Dubaï paraissent à leurs yeux bien plus que les jours à Sanaa. On dirait que les jours sont plus longs, qu'ils se prolongent, qu'ils sont sans fin. Les nuits à Dubaï sont des jours aux yeux des deux yéménites habitués aux villes moins éclairées, et moins actives la nuit tombée. À Dubaï, ils découvrent une grande et lumineuse ville qui s'affaire et s'active la nuit. À voir les voitures aller et venir, les personnes dans les restaurants en pleines rues, d'autres dans les clubs et les bars, ils ont l'impression que Dubaï ne se repose pas, qu'elle ne se fatigue pas, et qu'elle ne dort non plus ! Eux qui n'ont cessé de demander à leurs instructeurs du MI6 de leur faire visiter les États-Unis, sont servis. Ils ne pouvaient rêver mieux que de se retrouver en face de la plus haute tour du monde. Ils ne connaissent les États-Unis qu'à travers les documentaires, mais une fois à Cheik Zayed road, ils n'envient plus le pays de l'oncle Sam. Ils retrouvent dans cette belle avenue les gratte-ciels, les immeubles et les coupes de voitures qui les bluffaient tant dans les films américains. Cheik Zayed road est étincelant.

La plus belle et la plus luxueuse avenue des émirats et du Moyen-Orient est splendide. Le train, passant continuellement au-dessus des têtes des deux yéménites, fait relever leurs yeux. Ils rêvent, pas le rêve américain tant espéré, mais celui de Dubaï, où pour la première fois, ils empruntent un ascenseur. L'occasion n'est probablement pas prête de se reproduire. Les jeunes gens en ont conscience. Avec l'argent de leur paie, ils font du shopping : s'achètent des objets souvenirs de Dubaï. Au Yémen, ils ne sont pas autant libres de se balader et de se pavaner la nuit. Ils profitent au maximum de faire ce qu'ils n'avaient pas coutume de faire. Ils veulent expérimenter à Dubaï ce qui leur est strictement interdit au Yémen. Les deux yéménites veulent briser les tabous. Rompre avec les vieilles habitudes qui selon eux, ne tiennent pas compte de leur liberté de penser. Dubaï est le lieu idéal pour eux d'assouvir leurs désirs et de réaliser les fantasmes les plus délirants, auxquels ils rêvaient depuis toujours.

Débarqués à Dubaï pour commettre un attentat, les deux natifs de Sanaa prennent la décision de prendre leur revanche sur la vie. Pour une fois, ils se sentent libres de faire ce que bon leur semble. Ils goûtent pour la première fois, bien qu'une seule fois, à la saveur d'une vie sans contrainte. En cette nuit de tous les instants, les jeunes hommes ne connaissent pas de limite, sinon ce qu'ils se seront eux-mêmes fixé. Ils ont la vie et ses délices devant eux, et ont pris la résolution de la croquer à pleines dents. Moktar du nom duquel est baptisé le groupe, et son compère Samir ont pris place dans un taxi les conduisant dans un grand hôtel situé non loin du Burj Khalifa, la plus haute tour du monde. Dans le hall, ils se renseignent sur le lieu où ils pourraient écouter de la musique et boire de la vodka. Pas besoin de faire plus d'effort. Les escaliers roulants se chargent de les déposer au premier étage du luxueux complexe hôtelier. Confortablement assis, ils grignotent quelques cacahuètes, le temps que les jolies servantes philippines leur apportent les boissons commandées. Leurs têtes bougent au rythme des chansons américaines, pourtant leurs cœurs n'y sont pas. Ils battent à l'idée d'enfreindre la loi interdisant aux bons musulmans de consommer de l'alcool. D'autre part, les deux amis sont impatients de découvrir la saveur d'une boisson alcoolisée. Pendant qu'ils s'imaginent quel goût cela peut avoir, et surtout quelle sensation cela leur procurera, la servante a déjà déposé sur la table quatre bouteilles de bière. Sans attendre, ils les empoignent et les vident aussitôt.

— Oh, Moktar, que la vie est belle !

— Walaï Samir, nous étions en prison à Sanaa.

Les premières impressions sont si bonnes qu'au bout d'une demi-heure, le nombre de bouteilles passe de quatre à dix. Les deux amis sont dans un état d'ivresse et les sourires qu'ils adressent à toutes les personnes présentes dans le bar le confirment…

— Samir, nous devrions demander à nos amis anglais de nous laisser vivre ici.

— C'est une idée qui me tente aussi. C'est ici la vraie vie.

La consommation d'alcool a fini par réveiller en eux d'autres désirs. Ils veulent à présent goûter pour la première fois au fruit défendu. Toute leur existence n'a été que privation. Les corps dénudés de filles qu'ils ne voyaient que sur les magazines feuilletés à la va-vite sont à présent à portée de mains. Ils sont prêts à franchir le pas et définitivement fermer la porte de jeunes puceaux, pour ouvrir celle d'hommes à part entière. C'est entièrement et exclusivement que de jolies femmes se donneront à eux en cette nuit. Sans réserve ni pudeur, les deux accompagnatrices offriront aux deux yéménites une nuit exaltante et excitante. Au petit matin, ils se remettent partiellement de ces intenses moments passés en compagnie des femmes. Les images des ébats défilent continuellement dans leurs têtes et les hantent. Ils se demandent si la meilleure idée ne serait pas de recommencer l'expérience de la veille. Moktar et Samir sont déterminés à revivre ces moments de sensualité et de sexualité, où de jolis corps de femmes leur ouvraient une fenêtre vers l'autre monde. Ce matin est un matin pas comme les autres.

En quittant leurs lits, les deux hommes n'ont fait aucune prière. En se regardant dans le miroir, ils ont l'impression d'être différents. Leurs visages ont quelque chose de nouveau, leurs visages ne sont plus les mêmes. Dans leurs têtes aussi, les positions ne sont plus celles de la veille. Les réflexions ont profondément et radicalement changé. Ils appréhendent à présent la vie sous un autre angle.

— Mon frère Samir, je pense que nous devons vivre comme les personnes vivant dans cette magnifique ville.

— Oui Moktar, et comment faire ?

— Nous n'avons qu'à ne plus repartir au Yémen.

— Oui, mais nos amis anglais ne le verront pas d'un bon œil.

— Au diable ces Anglais. Ils veulent nous utiliser pour causer du tort aux paisibles citoyens.

— N'oublie pas qu'ils ont un grand pouvoir. Que préconises-tu ?

— Écoute Samir, nous avons bu et couché avec des filles. Nous sommes des hommes nouveaux. Vivons désormais comme tout le monde sans causer du tort aux autres.

Samir n'attendait qu'un tel discours pour faire ses bagages. Les deux compères partirent de l'hôtel dans lequel les avaient logés les agents britanniques. Ils viennent de quitter l'hôtel, rompant de fait le contrat qui les liait au MI6. Dubaï, ses lumières et son caractère libéral, voire libertin, a réussi à transformer deux jeunes qui s'apprêtaient à revêtir les manteaux de terroristes.

Les minutes et les heures s'égrènent jusqu'à 11 heures, heure de Dubaï. Les agents du MI6 dépêchés sur place pour le suivi de l'opération sont inquiets. Aucune détonation n'est audible sur le site abritant la compagnie pétrolière visée. Il est presque 12 heures et déjà les téléphones sonnent. L'agent White est au bout du fil. Il veut s'enquérir des nouvelles et souhaite qu'une explication lui soit donnée quant à ce retard. Les agents envoyés sur le terrain ne disposent pas d'éléments suffisants pour tirer une quelconque conclusion. Se rendre à l'hôtel où résidaient les deux yéménites est un risque au cas où ces derniers auraient été interpellés par la police. La situation va demeurer confuse, jusqu'à ce qu'un coup de fil de Londres éclaire les uns et les autres. Aucun yéménite n'a fait l'objet d'aucune interpellation. Aucune trace d'explosifs n'a été décelée. Moktar et Samir ont simplement retourné leurs vestes en filant avec chacun dans leurs poches, des milliers de livres payés par le contribuable anglais. La mission a avorté. L'agent White est furieux et rappelle aussitôt les agents partis à Dubaï. Il est d'autant plus en colère qu'il s'est battu bec et ongles pour faire passer son plan au détriment de celui de Donald. C'est un échec cuisant auquel doit faire face le chef des opérations secrètes du MI6. Il lui faudra bien plus que des explications pour calmer la rage du directeur. L'attentat planifié par le MI6 pour discréditer le groupe Moktar et ainsi compromettre un agent des services africain a échoué. Les deux hommes chargés de faire la basse besogne se sont rétractés. Moktar et Samir ont refusé de se salir les mains. Ils n'acceptent pas que leur honneur de bons musulmans soit bafoué. Ils veulent être des hommes libres et fiers devant Dieu et la société. Le plan élaboré et concocté par le MI6 pour enlever le Pape en vue de récupérer un parchemin au Vatican a échoué. La Franc-Maçonnerie par le biais de son bras armé doit changer de tactiques et d'approches, si elle tient à dominer le monde de bout en bout.

L'échec de cette opération visant à faire du Saint-Père un otage est perçu par l'agent Donald comme un signe des cieux, protégeant sans cesse le représentant de l'église. En bon chrétien, il est convaincu que Dieu le Père veille personnellement sur la vie du Pape. Les événements de ces dernières heures lui donnent raison. Sinon comment comprendre que deux hommes aussi chèrement payés aient refusé de passer à l'acte ? Cela ne peut qu'être l'œuvre de Dieu qui tient à préserver son serviteur des griffes du mal. Cet inexplicable et injustifiable retournement de situation conforte l'agent Donald sur ses positions, et consolide sa foi envers Dieu le Père et sa sainte église.

Au siège du MI6, l'heure est au bilan, aux remontrances et aux règlements de compte. L'opération de Dubaï s'est avérée inefficace et infructueuse selon l'agent Donald parce que Monsieur White n'a pas assez bien peaufiné les détails. Il a fait preuve de négligence dans l'exercice de ses fonctions. Il doit lui être enlevé la tâche de chef des opérations clandestines du MI6. C'est un véritable réquisitoire, argumenté, détaillé et étayé par les nombreux ratés relevés sur le terrain. Les agents Margaret et Coll pensent eux aussi que l'agent White doit redevenir un simple agent sans attribution supplémentaire. D'autres agents, partisans de White, estiment qu'il ne faille pas lui imputer l'entière responsabilité de cet échec mais à toute l'agence. En sa qualité de directeur du MI6, Sir Smith est déçu et l'est davantage en sa qualité de grand maître. Mais cette déception n'entame pas son moral. Il ne peut jeter l'éponge. Ce n'est qu'une question de temps avant que la Franc-Maçonnerie ne reprenne l'héritage légué par son maître Salomon.

— Mesdames et messieurs, l'opération « *Colombe blanche* » a pris un coup mais elle doit se poursuivre. J'attends vos propositions pour que le parchemin soit dans ces locaux au plus vite.

— Monsieur le directeur, pour la bonne marche de l'opération « *Colombe blanche* », il est souhaitable que l'agent White n'en soit plus le meneur. Il a montré ses limites avec le fiasco de Dubaï.

— Je vous l'accorde agent Donald. L'agent White est suspendu de ses fonctions de chef des opérations clandestines, mais participe néanmoins à cette opération.

À cette annonce, les visages de certains agents s'illuminèrent. Celui qui leur faisait de l'ombre vient de tomber de son piédestal. L'agent White ne tire plus les ficelles, ne donnera plus d'ordre et ne fera plus l'excès de zèle qu'on lui reprochait tant. Depuis que Moktar et Samir ont fait déjouer son plan, il est resté moins bavard. En silence, il réfléchit sur la nouvelle stratégie pouvant le ramener sur la table des décideurs du MI6. Ce ne sera pas chose aisée. La sympathie et la confiance placées en lui par le directeur ont considérablement diminué. Il doit s'inventer un nouveau rôle, de manière à être un personnage incontournable dans le scénario du MI6.

Pendant que les différents agents cherchent des promotions, Sir Smith est reparti dans son bureau. Au bout du fil, certains chefs d'État, adeptes de la Franc-Maçonnerie, soucieux de savoir si le parchemin a déjà été retrouvé. Les échanges sont tendus.

— Grand maître, nous voulons savoir où vous en êtes avec notre héritage.

— Vous serez informés au moment venu.

— Les choses semblent traîner grand maître, nos adeptes s'impatientent de célébrer notre victoire sur le Vatican et sur les autres organisations.

— Sachez, bien-aimés frères, que nous ne travaillons point pour satisfaire les égos d'une poignée d'individus, mais pour asseoir la Franc-Maçonnerie comme seule référence idéologique dans le monde.

Après ces mots, Sir Smith raccroche le téléphone. L'attitude de son interlocuteur est jugée irrévérencieuse. En sa qualité de grand maître, il doit certes faire son rapport à ses sujets, mais n'a d'explication à donner qu'au grand architecte de qui il s'inspire, pour mener à bien son œuvre sur terre. Il se sent investi d'une mission. Il n'est guère motivé par la reconstruction du temple de Salomon. Ce qui lui tient à cœur est de remodeler le monde en le soumettant à l'hégémonie de l'ordre maçonnique. Pour voir aboutir une telle apologie de domination d'un mouvement ésotérique sur le monde, la Franc-Maçonnerie doit retrouver et reprendre le parchemin subtilisé par le Vatican.

Les uns après les autres, les espions du MI6 proposent des plans qui sont tour à tour étudiés, évalués et expérimentés pour se rassurer de leur fiabilité et infaillibilité. Jusque-là, aucun ne fait l'unanimité. L'agent Donald veut absolument occuper le poste de chef des opérations secrètes. Pour espérer décrocher un tel poste de responsabilité, il faut au préalable faire ses preuves. C'est ainsi qu'il suggère qu'un agent se fasse passer pour une ménagère au Vatican. L'idée est tout de suite rejetée par la majorité des agents y compris le directeur. Puis il vint à l'idée à l'agent White de demander au directeur de présenter les photos des proches collaborateurs du Pape. L'idée paraît absurde, mais White insiste. Il lui fit montrer les photos des trois cardinaux qui passent les journées en compagnie du pape. Parmi ces trois personnages, un semble être le collaborateur et le confident du pape. Il ne le quitte presque jamais : des messes aux audiences, en passant par les laudes et les vêpres, le pape a toujours à ses côtés le Cardinal Perol, un quinquagénaire originaire de Pologne. Ce natif de Varsovie a su s'imposer au Vatican et auprès du pape par ses positions conservatrices, et la discrétion dont il fait preuve depuis son arrivée à la curie romaine.

Dans les bureaux du MI6, les différentes photos du Cardinal Perol font l'objet d'une attention particulière. Une étude minutieuse débute sur ce prélat et grand serviteur de l'église. Les agents du MI6 épluchent les tonnes d'informations sur ce polonais. Ils fouillent son passé, ses relations, ses liens familiaux et sacerdotaux. Sur les ordinateurs du MI6, l'on peut aisément voir les données collectées à partir des recherches sur la personne du Cardinal Perol. Son nom est sur toutes les lèvres, son nom revient dans toutes les conversations, son nom fait l'objet de débats de toutes sortes. Perol est devenu l'hymne de l'agence britannique de renseignement, à tel point que l'opération « *Colombe blanche* » faillit de peu changer de nom de code au profit du sien. L'opération « *Colombe blanche* » est sur la bonne lancée. Elle paraît avoir plus de chance d'aboutir avec la découverte du cardinal polonais, qui en plus d'être le préféré du pape, ressemble étonnamment à un agent du MI6 du nom de Cooper. Ils ont les mêmes traits de visage et la même morphologie. L'espion du MI6 et le cardinal sont quasiment identiques. On dirait qu'ils sont jumeaux, tellement la ressemblance est frappante. Cependant, ils sont diamétralement opposés sur le plan des idées. Le premier est franc-maçon et le second fervent prêtre catholique, dont le dynamisme lui a valu d'être évêque puis cardinal. Vu la grande ressemblance entre les deux hommes, l'agent White fait une proposition à même selon lui de faciliter la présence du MI6 au Vatican.

— Monsieur le directeur, nous avons l'homme qu'il faut, mais il n'est pas encore à la place qu'il faut.

— Poursuivez agent White.

— Étant donné la grande ressemblance physique entre Cooper et Perol, je propose que soit enlevé Perol, et que Cooper prenne sa place auprès du pape. Cela nous aidera à reprendre le parchemin.

— Bonne idée agent White. Reste à trouver comment enlever Perol.

— D'après nos recherches, il est fils unique à sa mère, et les liens qu'il entretient avec cette dernière sont très étroits. En agissant sur elle, il se montrera.

L'idée de l'agent white est étudiée de bout en bout par les experts du MI6. Après comparaisons avec beaucoup d'autres, elle est retenue. Il est aussitôt demandé à Cooper de laisser la mission l'ayant conduit à Johannesburg pour revenir de toute urgence à Londres. Les ordres sont les ordres. Ils viennent d'en haut, du bureau du directeur et grand maître de la grande loge de Londres. En sa qualité de franc-maçon, il sera plus facile à l'agent Cooper de mieux comprendre les motivations de Sir Smith et de mener à bien la nouvelle mission.

Pendant qu'il monte à bord de l'avion qui l'arrache des terres sud-africaines pour l'amener en Grande-Bretagne, il s'interroge sur ce soudain rappel de l'agence. Pensif et inquiet, il s'imagine plein de scénarios. A-t-il commis une faute grave passible d'un blâme ou d'une mise à pied ? L'agence projette-t-elle de se débarrasser de lui, parce que détenteur d'informations sensibles ? Dans les deux cas, il a sa petite idée pour échapper à un éventuel piège du MI6. Durant le vol, il est soucieux et semble préoccupé par ce qui l'attend à Londres. C'est malgré lui qu'il prendra son repas à bord, et échangera les civilités avec les courtoises hôtesses de British Airways. Arrivé à Heathrow, la peur grandit en lui avec la présence de deux espions au bord de la passerelle. Un instant, il voulut s'enfuir, mais ne se reprochant de rien, s'abstint.

— Bonne arrivée agent Cooper.

— Merci. Alors que me vaut cet accueil ?

— Le directeur nous a chargés de vous conduire à lui.

— D'accord, j'aimerais faire un détour par mon appartement.

— Nous sommes désolés, les ordres sont de vous ramener directement sans détour.

Il ne fait plus l'ombre d'un doute dans son esprit. Il sera très certainement mis aux arrêts par l'agence. La présence de ses collègues à sa sortie d'avion n'augure rien de bon. Sur le chemin, il apprête sa ligne de défense, imagine le type de questions qui peuvent lui être posées et apprête les réponses conséquentes. L'anxiété a déjà assombri son visage. Il fait un effort de se détendre, inspirant et expirant profondément. Il lui faut maîtriser son flux respiratoire, au cas où le détecteur de mensonges lui serait imposé. Tout au long du trajet, il ne dit mot. Juste un sourire de circonstance pour prouver à ses collègues que tout va pour le mieux. Point besoin d'être devin pour comprendre qu'en lui quelque chose cloche. Il transpire à grosses gouttes malgré les températures hivernales que connaît Londres en ce début d'année. Cet espion aguerri a laissé la peur transparaître en lui. Elle le domine désormais et son air songeur le confirme. Les méthodes et les agissements du MI6 ne lui sont pas inconnus, raison de plus de trembler de tous ses membres.

Une fois au siège du service d'espionnage, il est dirigé dans le bureau du directeur. À l'intérieur, les collaborateurs sont priés de vider les lieux. Les deux hommes se jettent alors dans les bras et d'un geste propre aux Francs-Maçons, se saluent et se souhaitent la bienvenue. Cooper est réconforté et rassuré. Les idées noires qu'il se faisait disparaissent spontanément. Il vient d'être reçu en frère, mieux en bien-aimé frère. Il peut à présent sourire.

— C'est une joie de te revoir après un long mois d'absence, bien-aimé frère.

— Je suis honoré d'être reçu par vous, oh, grand maître.

Les deux hommes n'échangent pas comme des collègues de même service. Leurs rapports sont autres. Leurs relations sont celles de frères de même loge. C'est sans retenue qu'ils discutent des faits d'actualité, avant d'aborder les questions essentielles.

Pendant que Sir Smith explique à Cooper les enjeux de la nouvelle mission ; dans certaines régions tropicales, l'on a du mal à s'expliquer, à cause des vents secs de l'harmattan dont le souffle fendille les lèvres. Ici, surtout en ce moment de l'année, l'on s'abstient de trop jacasser pour éviter d'en prendre plein la gueule les grains de sable agités par les vents. Sur les villageois, l'on peut voir briller le beurre de karité, servant de bouclier pour empêcher leurs corps de recevoir les fouets des vents secs. À Kandouraba, les habitants parlent peu ou presque pas, sauf pour chanter les louanges et confesser les péchés lorsque le jeune prêtre Kouadio les honore de sa visite. Il n'est pas coutume qu'il vienne à cause de la grande distance séparant sa paroisse avec ce merveilleux village, dont il admire tant la beauté et la diversité des paysages. Malgré le refus de son diocèse de créer une paroisse là-bas, le jeune prêtre y effectue trois visites par an. Annonçant la nouvelle du christ aux villageois restés longtemps attachés aux cultes ancestraux. Après chaque quatre lunes, le jeune prêtre vient à Kandouraba pour baptiser et libérer les âmes des habitants du péché originel et des croyances animistes incompatibles avec le message du Christ. La communion entre lui et ces rachetés, ces nouveaux enfants de Dieu, se fait à travers les homélies, mais surtout à travers l'hostie transformée en corps du Christ. C'est sûrement ici que Kouadio ressent plus de joie à exercer sa mission sacerdotale, tant la disponibilité des fidèles est remarquable. Les nouveaux chrétiens font preuve de bonne foi, en assistant aux messes pour prouver leur foi en Dieu. C'est pour eux un plaisir de suivre les prêches du jeune prêtre supposés les conduire vers les verts pâturages.

Au moment où Kouadio baptise, scelle les unions entre les hommes et les femmes, donne l'onction aux malades et aux mourants ; à des milliers de kilomètres de là, Cooper a déjà pris place dans un avion à destination de la Pologne. Dans le quartier général des services des renseignements britanniques se tient une réunion secrète dirigée par Sir Smith.

— Cette fois, aucune erreur ne sera tolérée. Ceux des agents qui ne seront pas à la hauteur de la confiance placée en eux se verront mutés dans les zones les plus reculées d'Afrique.

Le directeur du MI6 ne fait certainement pas allusion au village de Kandouraba, dont l'éloignement avec la capitale britannique est si accru qu'il paraît inaccessible. Londres et Kandouraba ne sont pas proches vu le nombre de kilomètres les séparant, mais le sont de par la couleur blanche rencontrée ci et là. Au pays de Shakespeare, les températures sont basses, à tel point que, descendues en dessous de zéro, le pays tout entier est arrosé de flocons de neige. Dans ce petit village bantou, l'hiver ne sévit guère comme en occident, la neige ne tombe pas non plus, seuls les cotonniers arborent le blanc. C'est la période des récoltes. Le coton abonde dans ce village de cultivateurs, et les vents de l'harmattan soufflent si fort qu'ils l'arrachent des tiges, pour le déverser sur le sol et les toitures des cases. Kandouraba est habillé de blanc, comme une femme le jour de ses noces. En accueillant la bonne nouvelle de l'évangile et en acceptant le Christ comme sauveur, le village tout entier a reçu l'époux et s'apprête à lui dire oui pour toujours. Kouadio, l'artisan de cette union entre le Dieu de la bible et un peuple jadis adorateur de fétiches, est comblé de voir autant d'âmes quitter les ténèbres pour la lumière.

À la fin de chacune de ses tournées dans ce petit coin perdu du monde, le jeune prêtre fait le même rituel. Debout des minutes durant, il regarde, admire et grave dans sa mémoire les divers paysages qui font de ce lieu une Afrique en miniature. À l'entrée se dresse une énorme grotte sur laquelle sont gravés les symboles, qui racontent l'histoire de ce peuple jadis animiste. Malgré les crucifix devant chaque porte, le village porte encore les stigmates d'un lieu où s'exerçait le culte des esprits. L'on est loin du pays vaudou avec sa ville des pythons, cependant, les similitudes entre la ville d'Ouidah au Bénin et Kandouraba sont si frappantes qu'on se croirait aux mêmes endroits. En voyant sa surface sableuse, l'on se croit à rêver de Tombouctou. En parcourant les kilomètres plus loin et en s'enfonçant dans le village, le rêve est rattrapé par la réalité de l'existence d'un cours d'eau, qui n'a rien à envier au lac Tchad, au Nil ou au fleuve Niger. L'eau occupe une grande partie de la superficie du village. Elle arrose ses terres et les rend fertiles. Le village a les allures d'une presqu'île. La comparaison avec l'île Maurice ou l'île de Gorée ne serait pas exagérée, à cause de la présence de jolis cocotiers et du sable fin qui bordent le grand cours d'eau. Le village s'étend sur des kilomètres. Les cases en terre cuite sont nombreuses, et leur architecture ressemble de près à celle des habitations de la ville de Djenné. Dans ce beau village aux mille visages, les grands arbres sont loin de cacher l'impressionnant massif montagneux, dont la hauteur rivaliserait avec le Kilimandjaro ou le Fouta Djalon. Kandouraba est un village aux nombreux attraits et atouts. C'est un lieu paisible où l'on vit sans se rendre compte du temps qui passe. Kandouraba est un village idyllique et idéal pour les amoureux de la nature et les paysagistes en quête d'inspiration.

À Varsovie, l'équipe d'espion du MI6 est arrivée et a élu domicile dans différents hôtels. Les rôles ont été répartis depuis Londres par l'agent White, qui a eu l'ingénieuse idée de s'en prendre au Cardinal Perol. Cette fois, rien ne doit être laissé au hasard. Tous les détails doivent être pris en compte afin que l'opération « *Colombe blanche* » soit un succès. Telles sont les recommandations du très controversé chef des opérations clandestines. Il n'a pas fait le déplacement et pilote l'opération depuis son bureau. Les yeux rivés sur le très vaste écran de la salle des opérations et entouré des techniciens, il contrôle les moindres faits des agents dépêchés en Pologne. Il est déterminé à superviser l'opération de Varsovie dans toutes les étapes de son déroulement.

L'opération a débuté par le repérage des sites et le brouillage des systèmes de communication polonais. Les agents peuvent à présent passer à l'étape suivante. Trouver une maison dans un quartier résidentiel, la louer et la faire habiter par deux d'entre eux. La maison sera trouvée et payée par Coll et Margaret. Elle devient de facto une base où s'effectueront les communications avec les bureaux de Londres. Coll et Margaret ont pu, à base de fausses identités, amadouer les agents immobiliers, jusqu'à se procurer les clés d'une maison située dans un quartier huppé de Varsovie. Les jours passent et les espions s'acclimatent avec leur nouvel environnement. À pieds, à vélo ou en voiture, ils sillonnent les quartiers de Varsovie : des supermarchés aux hôpitaux en passant par les postes de police et les sorties de la ville. La capitale polonaise est passée au peigne fin par les agents du MI6, qui veulent se rassurer que tout est au point avant de passer à l'action. Partie sur la base de renseignements et d'informations fiables, l'opération de Varsovie de laquelle dépend la réussite de l'opération « *Colombe blanche* » est lancée. Il ne reste qu'à matérialiser les plans élaborés depuis le siège central, où Sir Smith a une oreille attentive sur ce qui se trame.

À Varsovie, au cœur de l'état de Pologne, les agents des services d'espionnage britannique ont décidé de passer à la vitesse supérieure. Il faut accélérer le processus. Il ne faut pas perdre de temps. Les secondes, les minutes et les heures comptent et doivent être exploitées à bon escient. Le coordinateur de l'ensemble des opérations est du même avis ; et c'est volontiers qu'il donne carte blanche pour agir. L'agent White demande des résultats, peu importe la manière. Il est prêt à couvrir ses agents, même en cas de graves bavures. Cette façon de penser les rassure sur le terrain. Cette politique les incite à se surpasser et à donner le meilleur d'eux-mêmes, quitte à commettre des dégâts du moment où l'ordonnateur peut endosser la responsabilité. Forts de l'indéfectible soutien de leur chef, les agents actionnent la deuxième partie du plan. Grâce aux renseignements précis, le domicile de la mère du cardinal Perol est localisé. Deux agents passent des journées entières devant la modeste demeure pour se rassurer du nombre de personnes qui y vivent. Maîtres des écoutes, des filatures et des observations, les agents du MI6 finirent par récolter toutes les informations capitales pour la continuité de leur mission. Les données sont transmises à Londres, qui, après évaluation, ordonne que soit récupéré le paquet.

Pendant que d'autres s'affairent sur le terrain, Cooper se détend dans une chambre où il attend le moment idéal pour faire son apparition dans le plan. Pour le moment, il est un agent dormant qui attend le moment propice pour se réveiller. Il devra agir avec tact et timing afin que le grand maître à qui il doit obéissance soit fier de lui. Cooper est épargné de toutes ces tractations pour éviter d'être remarqué par les polonais, qui verraient en lui le frère jumeau de leur cardinal. Le cardinal Perol est le seul en Pologne. Sa popularité auprès de ses concitoyens est très grande. Laisser l'agent Cooper se balader dans les rues de Varsovie équivaudrait à faire échouer l'opération. Il s'occupe à imiter la gestuelle, et la mine du Cardinal Perol. L'agent dormant passe la majeure partie de ses journées à voir et à revoir les vidéos des cérémonies du Vatican. Outre le physique, il doit absolument être dans la peau du cardinal polonais. Casque aux oreilles, il articule les mots usuels en latin. En sa qualité de polyglotte parlant anglais, français, zoulou et italien, la tâche pour lui ne sera pas ardue.

Il doit parler comme le Cardinal Perol, rire, manger et se comporter comme lui ; penser comme lui, avoir les mêmes positions sur les questions de la foi et du devenir de la sainte Église. Cooper doit être Perol, sinon bien plus encore. Sa vie de vacancier apparente n'en est pas une. Il passe en revue les interviews du Cardinal, ses conférences, épluche ses livres et tous les dossiers sur lesquels il travaille au Vatican. Se renseigne sur le parcours mais aussi sur toutes les activités du cardinal polonais au sein du Sacré Collège. En outre, il doit s'accommoder avec le régime du Cardinal, s'il ne veut pas éveiller les soupçons du Saint-Père lors des agapes vespérales.

Après des jours et des jours à mimer et à imiter, après des semaines à essayer d'être quelqu'un d'autre, l'agent Cooper est prêt. Son nouveau rôle lui colle à la peau. Il se comporte en cardinal. Il est désormais polonais et Perol dans le corps et dans l'esprit.

Dans la paisible demeure de la mère du cardinal, l'obscurité a soudainement envahi les lieux. La vieille dame s'est pourtant acquittée de ses factures d'électricité. Le bloc de maison avoisinant est également dans le noir. Alors que Tova cherche à se procurer une bougie, un bruit de pas le fait tout à coup sursauter.

— Qui est-ce ?

Au moment où il voulut alerter les voisins, une puissante lumière l'aveugla. Il s'évanouit et se retrouva le lendemain aux côtés des autres dans une maison autre que la leur.

— Qui êtes-vous et où sommes-nous ?

— Vous êtes en lieu sûr madame. Nous sommes des agents américains. Vous et votre fils courez un grand danger ; c'est le pourquoi de votre déménagement.

— Comment est-ce possible, qui peut bien nous en vouloir ?

— Des ennemis de l'église, répondit l'agent Margaret.

Le fait de savoir son fils en danger la fait trembler de peur. Perol est son unique enfant. Madame Rita n'a jamais voulu s'en séparer. Elle a toujours eu du mal à le savoir si loin d'elle. Elle n'a cessé de s'inquiéter pour lui, lui prodiguant sans cesse des conseils malgré son âge avancé.

— Où est mon chapelet ? demanda la vieille dame.

— Le voici, rétorqua Tova.

C'est en larmes qu'elle récite le rosaire. Implorant la Sainte Vierge de protéger son fils de tout danger et de préserver sa vie. Émue par cet amour pur d'une mère envers son enfant, l'agent Margaret la conforte en lui faisant la promesse que rien de mal ne lui sera fait. La vieille dame n'est pas pour autant rassurée. Elle veut être certaine que son fils est en santé et hors de danger.

— Madame Rita, nous assurons votre sécurité et à cet effet, n'alarmez pas votre fils de peur que cela ne le mette en danger.

— Que dois-je faire ?

— Tenez ce téléphone, appelez-le et invitez-le à venir de toute urgence à Varsovie.

La vieille dame ne se doute de rien. C'est tout naïvement qu'elle joint son fils au téléphone en le suppliant de venir la voir. Perol bien que quinquagénaire n'a jamais dit non à sa génitrice. Il s'efforce toujours malgré son emploi du temps chargé de se rendre disponible pour elle. Cette fois aussi ne fera pas exception. Au bout du fil, il rassure sa maman qu'il se porte à merveille et qu'il sera à ses côtés dans les prochains jours. Madame Rita a le cœur tranquille. Elle peut à présent sourire.

— Peut-on à présent retourner chez nous ? demanda-t-elle.

— Non, c'est encore trop tôt. Attendons l'arrivée de votre fils avant de décider quoique ce soit. Répondit l'agent Margaret.

— Tova pourra nous faire des courses, j'espère.

— Il n'aura pas besoin de se tracasser ; nous avons pris toutes les précautions afin que votre séjour ici se passe de la plus agréable des manières.

— Je vous en remercie mais sachez que j'aurai besoin des raisins.

— Ce sont vos fruits préférés, cela ne nous est pas inconnu.

— Et comment le savez-vous ?

— Nous travaillons pour le gouvernement américain. Nous avons à cet effet beaucoup de renseignements pour mieux protéger des personnes comme vous.

— Aussi pour des questions de sécurité, rapplique Coll, aucun d'entre vous ne devra appeler ni amis ni membres de sa famille.

Cette mesure met Tova en furie. Il voulait appeler sa mère, sœur cadette de madame Rita, et devait honorer un important rendez-vous d'embauche. Le jeune homme est en colère contre les agents du MI6 dont l'action le prive d'un éventuel salaire mensuel. Il se lève, s'assied, va d'un coin à l'autre, tourne sans arrêt, s'agite et s'énerve.

Passé maître dans l'art de sonder les comportements, l'agent Coll voit en lui un potentiel problème pouvant amoindrir les chances de réussite de l'opération de Varsovie. En bon manipulateur, il dit :

— Tova, quel métier exerces-tu ?

— Je suis plombier, pourquoi cette question, es-tu employeur ?

— Moi non, mais mon ambassade si.

— L'ambassade américaine ?

— Oui, par mon intermédiaire, tu peux y trouver un travail à plein temps et de surcroît bien rémunéré.

Ces mots suffisent pour le ramener à de meilleurs sentiments. Il croit si fort aux déclarations mensongères de l'agent Coll qu'il lui demande des détails sur la manière de postuler à cet emploi fictif.

— Tu n'auras pas à fournir grand-chose, juste quatre photos, une copie de ta carte d'identité, le reste je m'en charge.

— Et de combien serais-je payé ?

— 5.000 dollars américains.

— Mon Dieu, vous payez si bien ?

— Oui, mon cher, c'est tout de même l'ambassade des États-Unis.

Tova est aux anges. Il a la tête dans les nuages. Ce jour est le plus beau de sa vie de chômeur. La proposition qui vient de lui être faite le comble de joie. L'espoir, qui semblait mourir en lui, renaît promptement. Il ne peut se contenir qu'il se jette dans les bras de celle qu'il appelle affectueusement grand-mère.

— Je serai bientôt employé par l'ambassade américaine, grand-mère.

— Cette nouvelle me ravit le cœur, mon petit Tova. Le ciel a fini par exaucer mes prières.

L'agent COLL a réussi à ramener l'accalmie dans la maison. L'atmosphère y est à présent plus détendue. Les otages vont désormais être plus compréhensifs et coopératifs aux injonctions de leurs geôliers. Madame Rita, le jeune Tova et la dame de ménage, enlevés à la hâte de leur domicile, ne peuvent s'imaginer que leur nouvelle habitation soit une prison. La maison occupée par les agents Coll et Margaret est certes entourée d'une impressionnante palissade, mais cela n'enlève en rien son caractère plaisant. Ce repère d'espions est une belle maison. Avec une pelouse bien tondue et soigneusement entretenue, son jardin lui donne des allures de maison de retraite.

Trois repas par jour sont servis aux otages. Ils ont accès aux informations par le biais du grand écran accroché au mur de la pièce principale. Leur sont interdits les téléphones portables et l'utilisation d'internet pour garantir leur sécurité et celle du cardinal Perol. Cette interdiction faillit de peu semer le doute en eux ; mais fût très vite dissipé par l'absence d'hommes supplémentaires ou d'une quelconque arme. L'équipe d'agent du MI6 dépêchée à Varsovie a opté pour une surveillance à distance, qui s'est avérée efficace. Elle fut ainsi conçue pour éviter d'éveiller un sentiment de méfiance, de la part des otages dont ils ont la lourde charge d'entretenir jusqu'à l'arrivée de Perol.

Plus que quelques jours avant l'arrivée du Cardinal, sa doublure n'attend que le signal des agents Coll et Margaret pour faire surface. Depuis son arrivée dans la capitale polonaise, il est en parfaite immersion. Sans faire de vague, il s'est jusqu'ici contenté de copier les faits et gestes du cardinal. L'heure est venue pour lui de faire preuve de ses talents d'imitateur.

Pendant qu'est attendue l'arrivée du Cardinal Perol, il vint une idée à l'agent MARGARET.

— Madame Rita, pour ne pas mettre la vie de votre fils en danger, il est préférable que vous appeliez les personnes qui vous sont proches, en leur signifiant que vous êtes en déplacement à Cracovie.

La vieille dame le fit aussitôt. Pour elle, rien ne passe avant la vie de son unique enfant.

Au fur et à mesure qu'évolue l'opération de Varsovie, le chef des opérations clandestines est tenu informé, et à son tour, fait des rapports journaliers au directeur. L'agent White croise les doigts et prie tous les saints du ciel pour que ne se reproduise pas le fiasco de Dubaï. Un deuxième échec signifierait sa chute et son renvoi de l'agence. Il en a conscience, raison pour laquelle il a lui-même sélectionné les agents participant à l'opération de Varsovie. Ils sont parmi les plus habiles et les plus talentueux des nouvelles recrues. Ils ne reculent devant rien, n'ont peur de rien, et ne mesurent aucun risque. Ils sont simplement aveuglés par les promotions qu'il leur fait miroiter. Dans le souci d'encadrer leur zèle démesuré, le directeur a voulu que ses nouvelles recrues se fassent accompagner par les agents Coll et Margaret. Deux espions chevronnés dont l'expérience s'est déjà fait valoir dans bien de pays à travers le globe.

À Londres, Sir Smith affiche un optimisme démesuré, s'imaginant déjà en possession du parchemin. Grand maître, il visualise le monde entier sous l'emprise de la Franc-Maçonnerie. Il rêve des jours heureux où le nouvel ordre mondial deviendra réalité. Cet optimisme poussé inquiète l'agent White, qui se voit en mauvaise posture. Au moindre faux pas, son éviction du MI6 ne serait qu'une formalité. Le chef des opérations clandestines est en sursis et sur la sellette. Il a obligation de résultat sous peine de se voir remercier. Dans la grande salle des opérations, il ne tient plus une minute assis. Bougeant sans arrêt, un verre de whisky en main.

À Londres comme à Varsovie, chacun est sur le qui-vive. L'on sait comment se déroulera la séquestration du cardinal Perol, mais l'on ignore son aboutissement. Les agents déployés sur le terrain ont une règle d'or à respecter. Ne jamais se faire prendre. Éviter d'être pris dans les mailles des filets ennemis sous peine d'être torturés, emprisonnés et méconnus par l'agence. Les agents en mission secrète à Varsovie se sont fait signifier et énumérer tous les dangers en cas d'arrestation. En cas de raté, chacun doit se défendre d'être employé par le gouvernement britannique. Pour les aider dans cette démarche, le MI6 leur a fourni de faux passeports. Les polyglottes à l'instar de Cooper, Margaret et Coll se sont vu remettre des passeports français. Les autres sont porteurs de documents de voyage américains. Officiellement, aucun agent britannique ne se trouve en Pologne,

Le Boeing 737 de la compagnie A Italia vient de se poser sur l'aéroport de Varsovie. À son bord, plusieurs passagers polonais et beaucoup d'autres de nationalités différentes se bousculent pour s'extraire de l'appareil. Dans le hall d'arrivée, parmi la foule qui attend, sont présents deux agents du MI6, avec en mémoire l'image du cardinal. Ils sont à l'aéroport pour constater ct informer Coll et Margaret sur les personnes qui accompagnent le prélat. Les deux espions sont placés chacun d'un bout à l'autre du hall d'accueil. Les passagers débarqués d'avion se présentent devant les services d'immigration ; passent les formalités d'entrée dans le pays avant de se diriger vers la sortie. Dans le hall, l'ambiance est aux retrouvailles. Des dizaines de passagers défilent devant les deux espions sans que ne soit reconnu le visage du Cardinal.

Pendant ce temps, ils sont en communication avec la base, qui relaie à son tour les informations au quartier général de Londres. Reliés à la base par de minuscules oreillettes, les deux espions parlent et écoutent simultanément. La liaison est impeccable. La direction du MI6 a mis à disposition du chef des opérations secrètes, un budget illimité. C'est donc sans compter que le maître à penser de l'opération « *Colombe blanche* » a décaissé les fonds, pour que soit acheté le meilleur matériel qui soit. L'agent white n'a pas lésiné sur les moyens. Selon lui, le MI6 doit être à la pointe de la technologie et s'équiper d'un matériel de haute précision, de manière à faciliter le transfert d'informations sensibles d'un point du monde à un autre. Les moyens humains et matériels étant mis à disposition, aucun raté ne sera toléré par l'instance dirigeante.

Minute après minute, l'agent White suit le déroulement des opérations. Il intervient quelques fois pour donner son avis, un ordre ou demander que soit changée une tactique jugée maladroite par les experts.

Sur le tarmac de l'aéroport international de Varsovie, trois autres avions viennent de se poser. La salle d'arrivée afflue de monde. Les passagers sont incomptables, ils sont de sexes et de races différents. Retrouver un individu dans cette marée humaine reviendrait à trouver une aiguille dans une motte de foin. Heureusement que la cible est une personnalité remarquable. Le Cardinal revêt toujours une aube et un couvre-chef qui le différencient des autres personnes. Aussi, toutes les caméras de la ville de Varsovie y compris celles de l'aéroport ont été piratées, de sorte que les images soient visionnées par le

MI6. Rien n'a été négligé dans l'opération de Varsovie. Tout a été pris en compte par l'équipe dirigeante, qui depuis son quartier général de Londres, pilote les opérations à distance. Le directeur en personne a tenu à vivre en direct le moment où le Cardinal sera intercepté par ses agents. Sir Smith est aux côtés de l'agent White et de quelques techniciens travaillant sur l'opération. Il découvre en même temps que les agents dépêchés à l'aéroport l'image du Cardinal escorté par une meute de policiers. Les services de l'ordre veillent sur le prélat. Le nombre de personnes désireux de baiser son anneau est impressionnant. L'information selon laquelle, le cardinal est entouré par les hommes en armes, est aussitôt transmise aux agents Coll et Margaret, qui demandent instamment à Londres de revoir le plan. Un changement de tactique s'impose. Il faut reconsidérer l'idée de l'enlèvement du cardinal, au risque d'avoir la police et les renseignements polonais aux trousses.

— Que devons-nous faire agent White ?

— Nous continuons monsieur.

— Comment continuer alors que notre cible est autant protégée ! Mettre la main sur lui s'avère mission impossible.

— Monsieur le directeur, je préconise que le cap soit maintenu.

— J'ose croire que vous savez où vous nous menez !

— J'en prends toute la responsabilité. En cas d'échec, j'assumerai personnellement les conséquences de mes choix.

Le directeur a pris note, mais ne souhaite pas que l'entité dont il a la charge soit salie. Il ordonne aux agents de Varsovie de ne rien entreprendre jusqu'à ce qu'une autre solution soit trouvée. Dans le hall d'arrivée, les deux espions dépêchés sur les lieux ne baissent pas la garde. Ils continuent de suivre de près les mouvements du cardinal, qui ne cesse d'être bousculé par les fidèles. Après une intense bousculade, les policiers finissent par avoir raison de la foule. Le cardinal est conduit vers le parking réservé aux personnalités de marque, où l'attendent son chauffeur et le véhicule. Les deux agents ne sont pas autorisés à s'y rendre. Seuls y ont accès les agents de sécurité polonais. Les deux espions sont incapables de voir ce qui se déroule dans le parking, cependant, les caméras de surveillance captent les images et les relaient à la direction de Londres. N'ayant plus de contact visuel avec la cible, les deux agents sont priés de décrocher et replier à la base. Pendant qu'ils y retournent, Londres appelle Varsovie et demande que soit maintenue l'opération dans les plans et les temps convenus. Les caméras de surveillance ont révélé que les éléments de la police n'étaient pas des gardes rapprochés. Leur mission était d'éviter au Cardinal d'être malmené par la foule.

Perol a pu regagner son véhicule. Assis à l'arrière comme à l'accoutumée, il se laisse conduire par son chauffeur et homme de main. Plus de peur que de mal. L'opération de Varsovie a failli de peu échouer, à cause d'une mauvaise appréciation. Sir Smith est souriant, il paraît plus détendu et félicite l'agent White pour sa vision.

— Agent White, je me fierai désormais à votre intuition.

— Mon devoir est de servir le MI6, monsieur.

— Je n'en doute pas un instant. Sachez que c'est un privilège pour le MI6 d'avoir un homme de votre trempe.

Les déductions de l'agent White ont prévalu sur les inquiétudes du directeur, et ceux des techniciens et agents de liaison confondus. C'était tous contre un. L'ensemble des personnes impliquées dans l'opération « Colombe blanche » contre lui dont la témérité menaçait de mettre en danger les agents sur le terrain. L'opération de Varsovie rentre dans sa phase décisive. Le directeur intime l'ordre à l'équipe dont Coll et Margaret sont à la tête, de continuer selon les plans prévus. En qualité de chefs d'équipe, les deux vétérans organisent l'étape suivante du plan. Les jeunes espions affectés à l'opération de Varsovie ont des aptitudes différentes. Les plus robustes et aguerris aux techniques de combat sont envoyés au domicile de madame Rita. Ceux dont les doigts manipulent avec finesse et aisance les gadgets sont tenus à l'écart dans les véhicules pour suivre de près le déroulement de l'opération. Les tâches sont réparties selon les domaines de prédilection des uns et des autres, qui se tiennent prêts à passer à l'action. L'agent Coll vient de quitter la base des opérations où sont retenues madame Rita et sa suite. Il a pris place dans le 4x4 qui le mène avec trois autres dans la maison inoccupée de la mère du cardinal.

— On se croirait sur le dos d'un escargot. Plus vite James, plus vite.

— Je fais du mieux que je peux.

— On ne dirait pas.

— Ce n'est pas un circuit de rallye, il y a des passants et des feux à respecter monsieur.

Il est impératif que les quatre occupants du 4x4 arrivent à temps chez madame Rita, investissent et quadrillent les lieux avant l'arrivée du Cardinal. Coll n'est pas satisfait de la conduite de James jugée trop lente. La densité de la circulation l'y contraint pourtant. Le Code de la route doit être respecté, de peur d'être repéré et arrêté par la police routière. Pendant que le 4x4 avance en direction du domicile, Perol et son chauffeur font de même. Le Cardinal tient à revoir sa maman avant de se rendre à l'évêché dont il avait la charge. Le bonheur de la revoir l'incite à demander au chauffeur d'aller plus vite. La voiture du cardinal et celle des agents font des courses de vitesse. Chacune voulant parvenir au plus vite au domicile de madame Rita. Motivés par diverses raisons, les chauffeurs mettent les pieds sur les pédales, et ne les enlèvent qu'à proximité des feux tricolores. Dans cette course opposant la voiture du cardinal à celle des espions, la première a une longueur d'avance sur la seconde. Elle est nettement en avance sur la distance déjà parcourue pour atteindre le point de chute. Bien avant que la voiture des espions ne quitte la base, celle du cardinal s'élançait déjà sur la grande autoroute reliant l'aéroport au centre de Varsovie. C'est tout logiquement qu'elle ait déjà fait plus de la moitié du parcours. L'homme sourit en revoyant les routes qu'il arpentait à son bas âge. Les souvenirs de son enfance passée chez les missionnaires lui reviennent. Les images de ses camarades et compagnons de jeu le font sursauter à chaque fois que sa voiture passe devant leurs maisons. Sa voiture n'est plus qu'à une centaine de mètres du lieu qui l'a vu naître. Celle des espions est à une trentaine de minutes de là. Le Cardinal arrivera certainement bien avant les quatre indics chargés de l'enlever.

Pendant que James emprunte les raccourcis pouvant l'aider à arriver plus vite au point prévu, la voiture du cardinal est immobile au dernier virage avant le domicile de sa mère. Elle a été reconnue par les voisins désireux de recevoir les bénédictions. En homme de Dieu, aimant et prêtant attention au peuple de Dieu, il n'hésite jamais à imposer les mains sur les têtes des fidèles. Ici, la relation entre lui et les fidèles est autre. Ces fidèles ne sont pas comme les autres. Ce sont des voisins et entretiennent avec lui des liens privilégiés. Fort de cela, il passera plus d'une demi-heure à leurs côtés. C'est une aubaine pour le 4x4 des espions d'arriver au lieu espéré bien avant.

Avant même que les moteurs ne s'éteignent, l'agent Coll et deux autres sautent du véhicule laissant à James la responsabilité de trouver un endroit pour se garer. Les clés en main, il ouvre la porte centrale et fait le tour de la maison avec ses collègues. « RAS », confiera-t-il à Margaret qui le fera immédiatement savoir à la direction.

Postés à différents coins de la maison, ils ont les regards tournés vers l'extérieur en espérant voir débarquer le prélat. L'agent Coll et ceux qui l'accompagnent sont munis de fusils et de gaz tranquillisants capables d'endormir un éléphant en une fraction de seconde. Les minutes s'écoulent, point de cible dans les viseurs des tireurs du MI6. La cible n'est pas au lieu espéré. La cible tarde à apparaître. Est-elle déjà venue et repartie ? Où a-t-elle carrément changé de plan ? Coll et Margaret y compris les experts de Londres n'en ont pas la moindre idée. Le chef des opérations clandestines va même jusqu'à se demander si les communications du MI6 n'ont pas été interceptées par le FSB. Si tel est le cas, le cardinal serait déjà aux mains d'espions russes qui n'auraient aucune gêne à lui extorquer des informations.

Être agent de terrain requiert un certain courage et un sens d'improvisation. Ne voyant pas la voiture du cardinal arrivée, l'agent James prend l'initiative d'explorer d'autres pistes. Il démarre à nouveau le 4x4 et se dirige vers la voie qu'il avait évitée pour gagner du temps. Cette fois, James ne roule pas à tombeau ouvert, mais à vitres entrouvertes, regardant si une voiture n'a pas à son bord un homme habillé d'une soutane noire, tel que décrit par les transmissions audio et vidéo de la direction des opérations. Lorsque le véhicule 4x4 aborde le premier virage après le domicile de madame Rita, l'agent aperçoit une foule autour du Cardinal. Il rend immédiatement compte à Coll qui relaie l'information à Margaret, et la direction des opérations est tout de suite avertie.

Le cardinal a fini de s'entretenir avec la foule d'amis et de passants, et le voilà à nouveau dans sa voiture.

— Épervier ici Polo 1.

— Polo 1, ici épervier, que voyez-vous ?

— La cible se déplace ; elle sera à vous dans un court instant.

— Bien reçu Polo 1.

La communication entre l'agent James et l'équipe de trois espions restée au domicile de madame Rita est interceptée par Margaret, et par l'agent White depuis Londres.

— Ordre à tous les agents de se tenir prêts, la cible est arrivée.

La voiture conduisant le Cardinal vient de s'arrêter devant la maison. Le chauffeur s'arrache de son siège, descend du véhicule et ouvre la portière. Tous deux se dirigent vers la maison. Précédé par son chauffeur, le cardinal emboîte les pas de celui supposé lui ouvrir la porte. Après avoir gravi les cinq marches d'escalier, le chauffeur a son index sur le petit bouton incrusté dans le mur de la maison. Ging gong ging gong ging gong. Aucune réaction, aucun bruit de pas ni de voix. Le chauffeur tourne le poignet. En ouvrant la porte centrale, il reçoit une charge en plein visage, qui lui fait perdre ses moyens. Déséquilibré, il trébuche et s'effondre. Effrayé, le Cardinal voulut s'enfuir, mais en fut dissuadé par le solide et vigoureux bras de James qui entoure son cou.

— Ne l'asphyxiez pas, polo 1.

— Il risque d'alerter les voisins.

Le Cardinal se débat et résiste à son arrestation. Une forte dose de tranquillisant aura raison de lui. La cible vient d'être neutralisée. Elle est immobile, inconsciente, sans vie apparente. Pendant que le Cardinal et son chauffeur sont traînés jusque dans le 4x4, les images parviennent à Londres, où Sir Smith adresse ses félicitations à l'agent White pour la conduite des opérations.

L'enlèvement du Cardinal a duré un temps éclair. Les lieux sont restés tels qu'ils étaient, comme si rien ne s'y était produit. L'agent Coll a pris le contrôle de la voiture du cardinal. James, comme toujours, pilote le 4x4 dans lequel se trouvent deux individus dans un léger coma. Les deux voitures quittent la maison et s'orientent vers la base, où les attendent l'agent Margaret et les trois otages. Après quelques minutes et des kilomètres parcourus, les deux voitures font leur entrée. Margaret a pris soin avant l'arrivée du cortège de prévenir Cooper de se tenir prêt à intervenir dans le scénario. Un scénario particulier, où les scénaristes sont à Londres et les acteurs à Varsovie. Cooper attendait ce moment pour jouer la dernière carte. La toute dernière partition pour assurer à l'opération de Varsovie un succès triomphal !

Dans une paisible maison de Varsovie, madame Rita et sa suite sont surprises de voir autant de nouvelles têtes. Outre Coll et Margaret, huit autres personnes viennent de faire leur apparition. Ces autres individus sont grands, robustes, avec des traits de visage qui trahissent les pulsions de tueurs en eux. Ces hommes dont James fait partie ne sont pas souriants et ne font pas semblant de l'être. Ils sont ce que le métier a fait d'eux. Des hommes sans état d'âme. Les contacts rudes et violents avec des cibles dangereuses les ont métamorphosés, au point où ils ne regrettent rien, ne reculent devant rien et ne ressentent plus grand-chose. La pitié n'est pas leur fort, les remords non plus. Aucune conscience ne les anime si ce n'est celle de leur profession. Ces espions ignorent la notion d'humanisme, elle leur paraît étrange, au point où on se demande s'ils ne sont pas dépourvus d'âme. Madame Rita est bouleversée en voyant son fils transporté par de robustes hommes. Lorsque l'envie d'hurler lui passa par la tête, le mouchoir blanc de Margaret couvrit son nez et l'endormit. Tova et la ménagère s'hasardèrent à envoyer des projectiles sur les espions et furent malheureusement ligotés et bâillonnés. Le décor est planté. Le Cardinal vient de se réveiller du léger coma dont il a été contraint quelques minutes durant. Il reprend conscience, les mains fortement attachées à la chaise.

— Si vous coopérez, aucun mal ne sera fait à votre mère. Lui signifie l'agent Coll qui s'apprête à prendre les rênes de l'interrogatoire.

— La bande adhésive sur votre bouche va être enlevée. Au moindre cri ou agitation, votre mère recevra une charge électrique. Vous avez le choix entre la faire souffrir ou répondre à nos questions.

Margaret s'approche de lui et de sa douce main, lui ôte la bande qui l'empêchait de parler.

— Si c'est l'argent…

Le cardinal fut virulemment interrompu par l'agent Coll.

— Nous sommes assez bien payés, nous ne voulons pas de votre argent Monseigneur.

— Alors, que me voulez-vous au point de vous en prendre à ma pauvre mère ?

— Nous voulons des informations sur le Vatican.

— Je ne suis qu'un humble serviteur du Saint-Siège. Quelles informations pourrais-je vous communiquer que vous n'ayez déjà ?

— Vous n'êtes pas dans votre pupitre où vous amadouez les fidèles. Donnez-nous des détails précis sur les plans secrets du Vatican.

— Comment devrais-je ? Je ne les ai pas en ma possession.

— Ne vous fatiguez pas. Tout a été prévu, répondit Margaret en lui montrant la simulation des bureaux et chambres du Vatican.

Le serviteur de Dieu est stupéfait et émerveillé devant les prouesses de l'esprit humain. Son étonnement est d'autant plus grand qu'aucun visiteur n'a accès aux bureaux et chambres du Vatican. Il ne cesse de se demander comment, à base de simples renseignements, les techniciens ont pu avec précision, reproduire les plans internes du Vatican.

— Où avez-vous eu ces images mes enfants ?

— Cela importe peu mon père, répondit James d'un air moqueur.

— À partir du moment où vous détenez tous ces plans, je ne vois plus en quoi je vous serai utile.

— Bien au contraire, c'est à présent que nous avons le plus besoin de vous.

Les préposés plans du Saint-Siège sont projetés sur les écrans d'ordinateur. Les images sont grandeur nature. En les visualisant, l'on se croit dans les coulisses du Vatican. Ces images ont ainsi été réalisées, pour permettre au cardinal de donner des précisions sur la position de son bureau et celui du pape, et la façon d'y accéder. Ainsi, furent dévoilés et détaillés tous les plans du Vatican. Le Cardinal Perol se montra très coopératif jusqu'à indiquer à ses bourreaux la position de la sépulture de Pierre. En plus des détails sur l'organigramme et la disposition des locaux du Vatican, il est demandé au cardinal de donner des détails sur son attitude à table, ses plats préférés, ses anecdotes et son emploi du temps journalier. Sous la contrainte et la peur de subir d'atroces tortures, il déballa tout et n'omit rien. Les agents ayant mené l'interrogatoire sont satisfaits des réponses données par le Cardinal. L'agent White l'est aussi, mais estime les informations incomplètes. Il veut que soit divulgué à ses agents l'emplacement du parchemin à cause duquel tous ces moyens matériels et humains ont été déployés.

Durant l'interrogatoire, tous les agents sont présents à l'exception d'un seul. Absent de la salle d'interrogatoire, il suit et note tous les détails depuis la pièce voisine. Il détient à présent toutes les clés opératives à même de faire de lui une parfaite doublure. L'agent Cooper a son bloc-notes rempli des heures, des jours, et beaucoup d'autres détails devant faciliter son acclimatation au Vatican. Londres demande à Varsovie d'exiger du cardinal qu'il indique avec précision l'endroit où se cache le parchemin.

— Monseigneur Perol, l'interrogatoire est terminé. Le moment est venu de repartir librement avec vos proches.

— Merci, messieurs.

— James, détachez les otages.

— J'espère que vous savez ce que vous faites épervier.

— Affirmatif, polo 1. Le Cardinal s'est montré coopératif, pourquoi le retenir plus longtemps.

Après les avoir détachés, l'agent Coll s'excuse auprès de chacun d'eux pour la méthode employée. Cependant, au moment où ils s'apprêtent à sortir de la pièce, il les retient.

— Juste une dernière chose. Rien de tout ce qui s'est produit ici ne doit être révélé au risque de représailles.

— En ma qualité de prêtre de l'église, je jure sur la sainte Bible que rien ne sera dit. Et c'est valable pour vous. Poursuivit le cardinal, s'adressant à sa suite.

— Partez à présent.

— Merci messieurs, que Dieu vous protège, conclut le prélat qui fut le premier à vouloir franchir le seuil de la porte, au moment où une main l'en empêcha.

— Avant de partir, indiquez-nous le lieu où est caché le parchemin du roi Salomon.

— Je n'en ai aucune idée.

56

— En votre qualité du plus proche collaborateur du pape, il vous revient de nous éclairer sur la question.

— Je vous assure, ce que vous évoquez m'est complètement inconnu.

— Puisque vous persévérez dans le mensonge, votre mère va subir les pires traitements.

— Pas ça, je vous en prie.

— Alors, dites-nous où se cache le parchemin.

— Si je le savais, je vous l'aurais déjà dit.

— Très bien, vous aurez choisi de voir souffrir et mourir votre mère.

Le Cardinal dit ne pas savoir où se cache le parchemin. Il donne l'impression d'un homme occultant la vérité. Pourtant, sa position actuelle ne lui permet pas de jouer à ce jeu. Les hommes en face de lui ne sont pas des enfants de chœur. Ils n'en ont pas l'air. Ce sont des bruts, prêts à tout pour obtenir un renseignement. Pour faire prendre conscience de leur détermination, ils exigent au cardinal d'ôter l'anneau en or entourant son annuaire droit. Il est lui également exigé d'enlever sa tunique et le couvre-chef rouge qui orne sa tête.

— Que voulez-vous faire de mes accoutrements ?

— Obéissez avant que nous ne perdions patience.

Le Cardinal s'exécute. Heureusement qu'en dessous, il avait pris soin de se vêtir d'un pantalon noir et d'une chemise similaire. Il vient de céder ses ornements et ses accoutrements. Il est devenu un homme ordinaire.

— Nous allons à présent passer aux choses sérieuses. Qu'on apporte le matériel.

Margaret accourt illico dans une pièce de la maison, et ramène une valise rectangulaire et argentée. L'objet rappelle à Perol les malles utilisées par les prêtres. Seulement celle-ci n'est ni ecclésiastique, encore moins diplomatique. La valise posée sur la table est un réservoir d'outils de torture. Les cinq otages en prennent conscience une fois la valise ouverte. Les objets dans cette caisse sont disposés dans un ordre bien établi. Chaque gadget est contenu dans un étui en cuir noir dont la forme varie d'un objet à un autre. Margaret les déplace un à un vers la table, en prenant soin de les débarrasser des étuis qui empêchaient les otages d'en apprécier les formes. De nombreux bracelets similaires et reliés les uns aux autres par de petites chaînes furent les premiers à être exhibés. Tel un mécanicien penché sur sa caisse à outils, elle ôte de leurs étuis, les couteaux, les pinces, les lames et les tenailles pour brutalement les laisser tomber sur la table. Nul besoin pour le cardinal et les siens d'avoir la prescience de Nostradamus, ou le génie d'Einstein, pour deviner ou déduire que ces métaux étincelants, s'exerceront sur chacun d'eux, jusqu'à se tâcher de sang. Rien qu'à l'idée de subir de tels supplices, les otages découvrent les affres de la torture morale. Ils deviendront dans les minutes suivantes des cobayes de plus utilisés pour tester de nouvelles techniques de torture. La bande à Perol ne se fera plus bâillonner mais aura les yeux bandés. Il a fallu qu'une partie sensible de son corps ressente la froideur du métal pour que se délie la langue du collaborateur et confident du Saint-Père.

— Je vous dirai tout.

— Voilà qui est sage de votre part, Cardinal.

— Le parchemin se trouve dans un des bureaux du pape.

— Comment y accéder ?

— Il est très rare qu'il y convie des personnes.

— Même pas vous son confident ?

— Si, mais ce n'est qu'au mois de décembre que j'y ai accès.

— Et comment pourrait-on reconnaître ce parchemin parmi tant d'autres ?

— Je vous prie de me croire, je n'ai jamais vu le parchemin en question, cependant je suis certain qu'il se trouve dans le bureau 13.

À la seule évocation du chiffre 13, le directeur du MI6 depuis Londres, demande que s'arrête l'interrogatoire. En sa qualité d'initié, il est convaincu de la véracité de l'information divulguée. Selon lui, le chiffre 13 est un code. Le cardinal a prononcé le mot qu'il fallait, au moment opportun, évitant à son corps et à celui de sa vieille mère de subir des supplices.

— Laissez-nous partir à présent, s'empressa de dire Tova.

Aucune réponse ne fut donnée, sinon des bouts de fusils pour indiquer une pièce de la maison dans laquelle ils seront gardés. Toujours sous la menace d'être exécutés, il est conseillé aux otages de rien entreprendre pour s'évader. Le cardinal et sa bande ont la vie sauve, sont en santé apparente mais en captivité.

À Varsovie, tout s'est déroulé comme convenu par l'agent White. Il s'en félicite et se prépare à superviser une autre étape ô combien déterminante pour la réussite de l'opération « Colombe blanche ». Depuis la capture du Cardinal Perol, Sir Smith ne tarit pas d'éloge sur l'agent White, dont la perspicacité est sur le point de l'aider à réaliser son rêve de changer l'ordre sur terre. L'opération « Colombe blanche », qui jusqu'ici balbutiait, donne de la voix avec l'alchimie d'un agent du MI6 en cardinal de l'église.

Cooper, agent des services de renseignement britannique vient de revêtir une étoffe autre que celle d'espion. Il vient de passer d'un camp à un autre. Il n'est et ne sera plus Cooper, il se fait désormais appeler son éminence. À Varsovie comme à

Londres sont attendues les nouvelles directives du chef des opérations clandestines.

Depuis plus d'une heure, sont en apartés l'agent White et son directeur. Ils tentent de définir la suite de l'opération « *Colombe blanche* ». Les deux hommes ont des divergences sur le sort des otages. Un souhaiterait que Varsovie soit broyée, balayée et nettoyée, tandis que l'autre opte pour une séquestration illimitée. Après des heures, l'agent White transmet à l'équipe de Varsovie les ordres du directeur. Cinq agents devront accompagner à Rome Cooper devenu cardinal. Les autres ont l'obligation de rester aux côtés des otages. La grande loge aurait préféré célébrer le retour du parchemin dans les prochains jours, mais hélas, il n'a de chance d'être récupéré qu'en fin d'année. Il faudra user de patience. Telles sont les recommandations du grand maître à ses bien-aimés frères. Selon lui, cette année est indéniablement et inévitablement celle qui couronnera la Franc-maçonnerie à la tête du monde. Grâce au parchemin, l'ordre projette d'étendre son hégémonie sur la terre entière.

Kouadio bien que n'étant pas à Kandouraba, continue de faire preuve de dévouement à l'égard de la mission à lui confiée le jour de son ordination. Dans sa paroisse où, pour la première fois, il porta l'étole et la chasuble, le jeune prêtre ne manque pas une occasion de dire des messes dans les prisons et les hôpitaux. Dans la ville de Talla comme dans le village aux mille visages, il se rend disponible pour ses fidèles. Quand il ne joue pas les conseillers matrimoniaux, il donne des cours de catéchèse. Sans répit, il est de toute part sollicité. À plusieurs endroits à la fois, de la classe de chant au confessionnal en passant par les séances d'exorcisme, on retrouve le même jeune homme à la tignasse ébouriffée. En plus de l'amour qu'il manifeste pour l'accomplissement de sa tâche d'annonciateur de la bonne nouvelle, il est un prêtre exemplaire. Il ne pouvait qu'avoir une telle rectitude morale sous la houlette d'Assoaba, curé de sa paroisse. L'abbé Assoaba est un prêtre de la vieille école, un conservateur parmi les conservateurs. Ce vieil homme de plus d'une soixantaine d'années accorde une importance particulière à la chasteté des prêtres. Avec un tel point d'honneur mis sur l'éthique, chaque prêtre de sa paroisse s'efforce d'être correct pour éviter d'être dans son collimateur.

Pendant qu'ici les prêtres s'efforcent d'épouser les vertus de disciples du Christ, en Pologne, un homme jamais ordonné, revêt les accoutrements de cardinal. L'agent Cooper et cinq autres ont pris place dans un avion en direction de Rome. Il a aisément réussi le passage aux contrôles aéroportuaires, sans attirer le moindre soupçon. Ce grand imitateur n'a pas eu fort à faire pour échanger en polonais avec les policiers de l'aéroport de Varsovie.

Dans la cabine de première classe, les hôtesses et passagers font à chaque fois des courbettes lorsqu'ils traversent son siège. Il ne manque pas de bénir les pilotes qui, volontiers, se déplacent tour à tour pour venir baiser son anneau. Aucun polonais n'a pu déceler en lui un indice discordant avec la personnalité du véritable cardinal, même pas les prêtres venus à l'aéroport lui dire au revoir.

Cooper a réussi le pari de devenir Perol, et se dirige vers Rome et le Vatican, dont il foulera l'esplanade dans les prochaines minutes. Avant d'embarquer à bord de l'Airbus qui plane au-dessus du ciel polonais, il a pris soin d'appeler le représentant de Pierre sur terre. Une fois le test vocal passé, il s'apprête à passer le test facial en présence du Pape. Plus qu'un employé modèle du MI6, c'est un combattant de la Franc-maçonnerie, dont il a gravi dix-huit des trente-trois degrés pour être chevalier rose-croix.

L'instrument du grand architecte est à pied d'œuvre pour l'avènement du nouvel ordre mondial ! Le MI6, dont Sir Smith s'est vu confier les rênes, est sur le point de faire infiltrer le Vatican par un de ses agents.

Avant son départ de Londres, l'agent Cooper a subi une initiation supplémentaire. Un rituel supposé le mettre en phase avec les énergies du parchemin a été réalisé. Dans l'avion, il ressasse toutes les informations sur le parchemin et ses supposés pouvoirs. L'Airbus amorce sa descente sur la ville historique et antique de Rome. Les passagers à bord sont priés de rester assis, les ceintures attachées. Les yeux fermés, l'homme de dieu paraît en méditation. Il ne s'inquiète guère du rôle de cardinal qu'il aura à jouer au Vatican. Il a plutôt la phobie des atterrissages. Malgré les multiples voyages en avion effectués à travers les villes et les pays du monde, les atterrissages lui font toujours autant peur. Les mains jointes tel un moine en prière, il n'a qu'un souhait : que se pose l'appareil afin que s'estompe son cauchemar. L'instant paraît long, et les minutes interminables. L'avion a considérablement réduit sa vitesse, perd de l'altitude, vole bas et ses ailes caressent déjà les toits de quelques immeubles, et bientôt ses roues se glissent sur l'une des pistes d'atterrissage de l'aéroport de Rome. Une légère secousse, l'appareil se pose finalement sur le tarmac.

— Bon séjour à Rome, déclarent les charmantes hôtesses.

— Que le Seigneur vous bénisse mes filles, répondit le Cardinal.

L'agent Cooper quitte l'appareil sans jeter un regard aux espions qui l'accompagnent pour éviter qu'un lien ne soit établi entre lui et le MI6. Après les formalités d'immigration, les six espions se dirigent dans des voitures différentes. La communication est aussitôt rétablie avec Londres. En activant le téléphone arraché des mains du cardinal Perol, Cooper est repéré et localisé par le satellite du MI6 alloué pour l'opération. L'itinéraire emprunté par son véhicule est transmis aux agents qui assurent sa couverture. Il est escorté à distance. Les cinq agents ne rebrousseront chemin qu'une fois la doublure au Vatican.

À la direction à Londres, on étudie l'éventualité d'une exfiltration en cas d'échec de l'infiltration. Au cas où il venait à être démasqué par le Pape, il faudrait mettre en place une stratégie efficace pour le sortir du Vatican. Les experts réunis autour du chef des opérations secrètes proposent divers plans. Cooper est un surdoué de l'espionnage. Outre ses atouts de polyglotte et de grand imitateur, il détient de nombreux secrets pouvant compromettre l'agence. Conscient de cela, le directeur exige que soit mis sur pied un plan B en cas d'échec de l'opération. Il ne veut aucunement que son agent joker et frère de loge se fasse prendre par des services étrangers.

— Agent White, où en êtes-vous avec le plan d'exfiltration ?

— Nous y travaillons, monsieur.

— Il faudrait arrêter une ligne à suivre avant l'entrée de Cooper au Vatican.

— Bien reçu, monsieur.

L'agent White et les experts passent en revue de nombreuses stratégies. Cependant, aucune ne semble assez efficace pour sauver leur agent en cas d'embarras. Le Vatican n'est pas qu'une simple institution. C'est un état dans un autre. Cette particularité rend les opérations difficiles en son sein. Comme tous les états du monde, il a ses services de sécurité. Un fiasco exposerait le MI6 et jetterait un discrédit sur la Grande-Bretagne. Le MI6 est dans une impasse. Ses experts ne savent quelle théorie mettre en place pour extraire leur agent en cas de loupé de l'opération. Le temps imparti au MI6 et à ses maîtres penseurs est assez court. Le véhicule, avec à son bord Cooper, est depuis lancé sur la ville de Rome, où il roule en direction du Vatican. Au risque de se noyer et d'entraîner avec lui le MI6 dans les abysses, Cooper ne doit point se jeter à l'eau sans être équipé d'une bouée de sauvetage. Il est impératif qu'une stratégie soit trouvée pour parer à l'éventualité d'une arrestation. Aucune solution n'étant jusqu'ici trouvée, Sir Smith sollicite l'aide de l'agent Margaret restée à Varsovie. Elle est la personne ayant le plus exercé comme agent de liaison en Italie. Elle est l'officier des renseignements britannique ayant le plus de contacts avec les services italiens. Parfaite dans la maîtrise de la langue, elle s'est vu confier plusieurs missions en Sicile, qui lui ont valu de nouer des liens étroits avec les réseaux mafieux. Les grandes et influentes familles mafieuses dont sont issus les plus redoutables et impitoyables parrains sont connus d'elle. En plus des noms et contacts, elle détient les informations liées à leurs activités et zones d'influence. Elle connaît la pieuvre sicilienne et sait jusqu'où s'étendent ses tentacules en Italie et en dehors. Le directeur des opérations secrètes est convaincu que son apport peut aider à l'élaboration d'un plan B.

— Agent Margaret ici Londres, quelle est la température à Varsovie ?

— Rien à signaler.

— Ici, le signal est faible.

— Quelle en est la raison ?

— Il faut au préalable qu'un plan d'exfiltration soit mis sur pied avant l'entrée de la taupe au Vatican.

— Dois-je me rendre à Rome ?

— Même de Varsovie, votre aide peut nous être précieuse, vu vos liens avec les italiens.

— Avec les services italiens, pas possible.

— Et pourquoi ?

— Vu le caractère de l'opération « *Colombe blanche* », je doute de leur collaboration.

— Et que préconisez-vous ?

— Connaissant le terrain, je pense que les réseaux mafieux sont plus à même de nous aider, mais en échange d'un service.

— Lequel ?

— Il faut que je reprenne d'abord contact avec les parrains.

Elle appelle deux intermédiaires. Après avoir écouté ses fables, ils décident de la mettre en contact avec Lorenzo, parrain de la mafia et chef du clan Lorenzo.

— Allô, Don Lorenzo, il y a belle lurette.

— Qui est-ce ?

— Margaret, la femme anglaise aux longs cheveux noirs.

— La brune de Londres !

— Affirmatif, répondit Margaret, soulagée que Lorenzo ait reconnu sa voix.

— Alors la brune, qu'as-tu pour le Don ?

— J'ai un souci.

— Alors, rends-toi chez le médecin, je n'en suis pas un.

— Je le sais, figure-toi.

— Alors que me veux-tu ?

— Un de mes collègues pourrait avoir besoin d'être exfiltré du Vatican.

— Donnez-moi son nom de code et sa photo, ensuite on discute du prix.

— Je ne peux te livrer un agent anglais sur un plateau en or.

— Dans ce cas, je ne peux pas grand-chose.

— Dites-moi, avez-vous une personne de confiance au Vatican ?

— Des personnes de confiance, j'en ai, mais il y a un prix à ce que tu demandes.

— J'en suis consciente.

— Si ton homme se trouve au Vatican, un prêtre et un agent à ma solde le feront sortir sans tapage.

— Même en cas de problème ?

— C'est justement en cas de graves problèmes qu'interviennent mes hommes.

— Quoi en échange ?

— J'aimerais que soit libéré un de mes cousins emprisonné en France.

— Nous sommes incapables de satisfaire à cette demande, cherchez quelque chose d'autre.

— OK, vous laisserez passer un de mes camions.

— Que contient-il ?

— Ce ne sont pas vos affaires.

— Votre camion entre dans le territoire anglais avec notre bénédiction, nous sommes en droit de savoir ce qu'il transporte.

— Ce n'est que de la poudre blanche.

— Dans ce cas, nos agents vont l'intercepter avant la frontière, le fouiller puis l'escorter.

— Écoutez Margaret, vous posez trop de conditions.

Elle ne lui permettra pas d'aller jusqu'au bout de sa réflexion qu'elle déclare :

— Nous avons l'obligation de fouiller votre camion pour nous rassurer qu'il ne transporte aucune arme.

Après un bref silence, Don Lorenzo accepte le deal. Le moment venu, un prêtre à sa solde aidera Cooper à sortir du Vatican. En échange, le MI6 facilitera l'entrée dans le territoire anglais de son camion chargé d'héroïne. Une fois l'accord conclu, Margaret fait son rapport au chef des opérations secrètes. L'usurpateur et imitateur peut enfin faire son entrée au Vatican. Muni de la carte d'accès et de la malle appartenant au Cardinal Perol, l'agent du MI6 passe la guérite de sécurité non sans avoir échangé avec les gardes.

À l'intérieur des locaux du Vatican, il se laisse guider par le signal du téléphone du cardinal, reconfiguré par les techniciens du MI6. À première vue, ce téléphone est un simple appareil, pourtant il a été réadapté pour devenir un gadget d'espion, ayant les mêmes capacités que ceux d'un James Bond. Cooper ne connaît le Vatican que de nom. Ses locaux lui sont par conséquent inconnus. Pour réussir sa mission, il doit se fier à son téléphone dans lequel ont été ajoutées des fonctions supplémentaires.

Pendant qu'il arpente les couloirs du Saint-Siège, son signal est reçu sur les écrans à Londres. Le téléphone lui montre le chemin à suivre pour regagner les appartements privés du Cardinal Perol. Il longe les allées, bifurque parfois à droite et à gauche selon les indications de son gadget. Dans les allées, il rencontre des visages qui, avec amabilité, lui adressent des sourires en guise de respect et de reconnaissance. Sur les voûtes des différents passages, il admire les images et en apprécie les couleurs. Les décors sur chaque mur et pilier lui font revivre l'histoire de l'église et celle du Vatican. Après des tours et des détours, il se retrouve en face d'une porte. Le signal est stable, n'oscille plus. Le petit point vert est immobile et ne clignote plus. Un coup d'œil à gauche et à droite tel un malfrat prêt à commettre un forfait, il a sa main droite dans la poche de la soutane et en sort un trousseau de clés. Heureusement que le cardinal avait pris soin de lui préciser les fonctions de chacune d'elles. Il n'a plus qu'à choisir la bonne. Il tourne le poignet et referme la porte à double tour derrière lui. Le voilà enfin dans les appartements privés du cardinal. Il fait balader son téléphone sur les murs et les meubles, pour se rassurer qu'un mouchard n'y est pas dissimulé. Pendant qu'il passe l'ensemble des lieux au peigne fin, il est attiré par une odeur qui hante les lieux. Elle est si forte qu'elle est ressentie dans toutes les pièces. Une odeur plaisante qui rappelle à l'espion les messes du dimanche auxquelles il assistait pendant son enfance. En plus de l'omniprésente odeur qui semble lui coller à la peau, l'indic est séduit par la manière dont est rangé l'appartement. D'un côté, on retrouve les livres de droit canon, de l'autre les livres ordinaires. Plus loin, les bibles et les bréviaires. Sur la table où repose une effigie de la vierge Marie, les bougies jaunâtres font office de bouquets de fleurs. Dans chaque coin des appartements du cardinal, les yeux de l'espion rencontrent les images de saints. Dans ces lieux aux allures de sacristie, l'on peut voir aussi bien les calices que les chapelets, sans oublier une multitude de soutanes et chasubles. La fouille terminée, il peut à présent communiquer en toute tranquillité avec Londres. Il ne craint plus d'être écouté et espionné. Les appartements du cardinal n'ont rien révélé d'inquiétant.

— Allô, agent White, je suis dans les appartements de Perol. Tout est en ordre.

— OK agent Cooper, ne perdez pas de vue que vous êtes désormais cardinal.

— La situation est sous contrôle. L'opération « *Colombe blanche* » fait des avancées.

— Faites de votre mieux pour que cette opération soit une réussite, d'ici nous couvrons vos arrières.

Au quartier général du MI6, techniciens et agents s'activent pour que Cooper soit informé du moindre mouvement suspect au Vatican. Depuis son centre de commandement, le MI6 veille sur son agent. Il n'a rien à craindre, le satellite voit et entend pour lui. Le Vatican tout entier est balayé par un système sophistiqué de surveillance élaboré par les techniciens du MI6. Au Vatican, personne ne se doute de rien. L'atmosphère reste la même, pieuse et paisible. Les chants continuent de se répandre à travers les bouches des choristes qui, allègrement, chantent gloire à DIEU au plus haut des cieux, paix sur terre aux hommes de bonne volonté. L'agent Cooper n'a que faire de la paix promise aux hommes de bonne volonté tel que scandé dans le gloria, une promesse plus lucrative lui a déjà été faite. Une coquette somme de cent mille livres lui sera versée, une fois le parchemin trouvé et ramené à Londres. Motivé et excité par la récompense financière, l'espion est plus que déterminé à accomplir sa tâche. Le saint des saints de l'Église catholique romaine vient d'être sali et souillé par la présence d'un impie, un imposteur, un apostat. ! Le MI6 a réussi à infiltrer le Vatican. L'agent Cooper est en position dans les locaux où siège le Sacré Collège et fait désormais partie des collaborateurs du Saint-Père. Il était déjà Perol par les traits accrus de ressemblance et à présent est cardinal à cause des ornements et accoutrements qu'il revêt. Qui a dit que l'habit ne fait pas le moine ? Cooper, officier du MI6 et chevalier rose-croix, est par enchantement devenu cardinal, sans avoir été prêtre, évêque ni archevêque. Il n'a jamais reçu d'onction, cependant se fait appeler « son éminence ». Cet homme vient de désacraliser les fonctions de prêtre. Il ne peut guère hériter du royaume des cieux, si ce n'est du parchemin de Salomon, dont il revendique au même titre que les autres maçons en être les dignes héritiers.

Au même moment, à l'autre bout du monde sur les terres de Talla, l'heure est aux festivités. La cathédrale datant de l'époque coloniale est étonnement devenue neuve. Une couche de peinture vient d'y être appliquée à la hâte par des fidèles improvisés en peintres. La couleur grise, qui dominait les murs de la vieille bâtisse, a laissé place à une plus exsangue, moins éclatante, mais plus gaie. Dans les alentours de la cathédrale, l'herbe qui cachait les sauterelles vertes a été arrachée et sarclée. Les locaux de la paroisse de Talla ont été réfectionnés et badigeonnés. Le presbytère qui ressemblait à une maison en ruine brille à présent d'une couleur visible à des kilomètres à la ronde. Un air de renouveau souffle sur la paroisse. Les choses et les lieux ne sont plus ce qu'ils étaient. Tout ou presque a changé, l'heure est au changement et visiblement, tout le monde s'y plaît. La communauté chrétienne vit un moment mémorable. Sa paroisse passe à une ère nouvelle. Le curé Assoaba qui la dirigeait vient de se faire remplacer par le jeune et dynamique prêtre Kouadio. L'évêché, dont la paroisse est sous la tutelle, a décidé d'insuffler du sang neuf. Le curé doyen est certes un prêtre irréprochable, mais son âge avancé a été le critère prédominant pour son départ à la retraite.

Dans une salle comble, l'abbé Assoaba dit sa messe d'adieu devant des milliers de fidèles venus lui rendre un dernier hommage. Dans son homélie, il rend grâce à Dieu de lui avoir accordé une si longue et enrichissante vie pastorale, et exhorte tous les fidèles à suivre les pas du nouveau curé qu'il juge intègre et digne de lui succéder. Dans la cathédrale Saint-Joseph de Talla, l'émotion est à son paroxysme lorsqu'Assoaba remet les clés de la paroisse au nouveau curé. Le geste symbolique est accompagné d'une salve d'applaudissements de la part des fidèles et des prêtres concélébrant. Kouadio vient d'être investi comme curé de la paroisse et porte désormais sur ses épaules une nouvelle et grande responsabilité. Son sérieux, son dévouement et sa disponibilité ont plaidé en sa faveur.

Depuis son ordination sacerdotale, il n'a cessé de sillonner les localités enclavées pour propager la bonne nouvelle. On compte par milliers les hommes et les femmes que le jeune prêtre a arrachés des ténèbres pour la lumière du salut. Quand il n'est pas au chevet des malades et des familles en détresse, il est au côté de jeunes gens pour les conseiller sur le mystère de la vie. Partout où il passe, l'homme de Dieu suscite des vocations, sème des graines, laisse des traces dans les villages, mais aussi dans les cœurs de nombreux fidèles. C'est un prêtre modèle à l'écoute du peuple de Dieu et à son service. La décision de le hisser à la tête d'une paroisse est un remerciement de son évêque pour avoir converti Kandouraba au christianisme. Cette nouvelle tâche, à lui allouée, devrait l'amener à redoubler d'efforts pour la préparation de l'avènement du Christ.

Les nouvelles fonctions de curé lui donnent les armes supplémentaires pour lutter contre l'athéisme, et l'animisme dans les localités rattachées à sa paroisse. Au-delà de ses talents de grand prédicateur, il est un redoutable prêtre exorciste. Le nombre de personnes guéries par ses prières est inestimable. Les personnes ayant détruit les masques et les fétiches sont incomptables. Les prodiges opérés par lui ont réussi à faire cesser les sacrifices de moutons sur les troncs d'arbres. Les adorateurs de diverses divinités ont laissé de côté leurs rites sanglants pour se faire racheter par le sang du Christ Les villageois ont fait don de leur vie à Jésus. Ils ont cru au message du jeune prêtre qui leur promet une vie de gaieté et d'abondance dans les parvis du paradis. Il séduit par ses actes, et prêche par l'exemple. La plupart des jeunes veulent lui ressembler.

En ce jour du Seigneur, l'esplanade de la cathédrale de Talla est bruyante de fidèles endimanchés et enfiévrés à l'idée de toucher le nouveau curé. Les félicitations et les encouragements lui sont adressés de toute part. À la paroisse, l'on ne se nourrit pas que de la parole divine, mais aussi de pain.

Afin que le jour de sa nomination reste inoubliable, le nouveau curé a pris l'initiative d'organiser un grand banquet. C'est une première qu'un buffet soit mis à la disposition de tous les fidèles. Les événements similaires se sont souvent soldés par une collation, où seuls étaient invités les hommes de marque. Le nouveau curé est porteur d'espoir pour les couches défavorisées de sa communauté, qui voient en lui le prêtre des pauvres. Il veut se démarquer de ses prédécesseurs en mettant en avant une idéologie basée sur le rassemblement. Les populations le lui rendent de la meilleure des manières, en chantant des louanges sur sa personne et en l'acclamant à chaque fois. Sous un soleil moins brûlant, la foule rassemblée attend de prendre place sous les tentes dressées pour la circonstance. La chaleur est forte, mais toutefois atténuée par la fraîcheur des vents qui, par excès de zèle, soulèvent les jupes des dames pour trahir leur intimité. La pudeur est pourtant reine dans ce lieu. Les dames n'en sont pas moins elles aussi. Certaines sont des invités d'honneur, tandis que d'autres assurent le service auprès des convives. Les femmes sont aux premières loges. La gent féminine n'a jamais été autant active lors d'un événement, au moment où la question d'égalité entre hommes et femmes a le parfum d'un machisme inavoué.

À Talla, les adeptes d'autres religions auraient voulu recevoir bien plus que l'odeur enivrante des mets, que les vents audacieux répandent dans l'espace. Ceux qui hésitent encore à venir intégrer la grande famille des rachetés n'ont que leur salive à avaler. Sous les bâches dressées pour protéger les têtes des rayons du soleil, les convives ont l'embarras entre une variété de mets. La richesse culinaire et culturelle Bantoue se fait valoir à travers un amalgame de plats : des plats à base de légumes, en passant par les tubercules et les sauces épicées, où se noient des têtes de vipère et de chèvres. Sur les tables, les verres sont remplis de bière et de boissons locales. Ici, sur la petite et unique colline qui surplombe la ville, l'on boit et mange à satiété. Les chrétiens sont heureux et aimeraient que soient renouvelées de telles initiatives, où le temps d'un après-midi ensoleillé, l'on se remplit la panse. Petits ou grands, riches ou pauvres, le nouveau curé a tenu à honorer les chrétiens de sa paroisse. N'eût été leur bravoure et leur générosité, la fête n'aurait pas été aussi belle. C'est à ces chrétiens de premières heures qu'il doit la réussite de cet événement. Grâce à eux, les chants et les clameurs envahissent le ciel recouvert d'épais nuages blancs et gris. Le festin se prolonge et s'anime par les chants de la chorale Saint Kisito. L'émotion en ce jour est plus intense que celle du jour de son ordination. Elle a cependant un parfum de tristesse. Le jeune prêtre se réjouit certes de sa nomination comme curé, toutefois sa mine cache une petite préoccupation. Malgré la réussite de l'événement, il semble moins enthousiaste. Ses pensées sont lointaines, à des centaines de kilomètres plus loin. Il a une pensée pour les habitants du village aux mille visages. Il aurait aimé partager avec eux cet instant de bonheur. Selon lui, les populations de Kandouraba méritent autant que celles de Talla de vivre des moments aussi privilégiés. Kandouraba, grenier des Hauts-Plateaux et Afrique en miniature, a séduit et conquis le jeune prêtre à tel point que s'il ne tenait qu'à lui, une église y aurait déjà été bâtie.

L'après-midi tend vers sa fin. La journée tire bientôt sa révérence, après avoir, de sa lueur, illuminé la ville toute entière. Sur la petite colline, descendent des fidèles rassasiés des bienfaits de la sainte Église. Par petits groupes et paquets en main, hommes, femmes et enfants se laissent glisser sur les pentes de la colline et regagneront leurs domiciles respectifs.

Si à Talla le soleil hésite à prendre le chemin du crépuscule pour se coucher, à Rome, l'obscurité n'a pas résisté à la tentation de recouvrir les lieux de son épaisse fumée noire. Dans la capitale italienne, la nuit est tombée des heures plus tôt. Au Vatican, l'heure est aux vêpres. Dans une petite chapelle, bréviaires en main, le pape et deux cardinaux dont Cooper devenu Perol, disent la traditionnelle prière du soir. Rien n'est audible, seuls les mouvements des lèvres sont visibles. Chacun marmonne d'incompréhensibles paroles supposées être décryptées par Dieu. L'heure est à l'adoration et à la méditation devant la statue de la vierge Marie, reine des apôtres. Le pape et ses plus proches collaborateurs prient et sollicitent l'aide de la vierge pour une constante protection de l'église. Le maître du Vatican et ses sujets demandent à la Reine du Ciel d'intercéder en leur faveur, auprès du père céleste.

Dans cette chapelle, tout a été conçu de façon à créer un climat de sainteté et de piété. Les dessins sur la voûte transporteraient quiconque vers le monde céleste. Les images d'anges munis de trompettes et survolant les nuages plongent les visiteurs dans les plus belles parades célestes. En laissant son corps entrer dans la chapelle, Cooper faillit y laisser son âme. Ce Franc-maçon, champion de la reconversion, a été une fois de plus à deux doigts de retourner sa veste. Le marbre sur les murs et les croix habillées de couche d'or ont attisé la foi en lui, bien plus qu'un véritable disciple du Christ. Il paraît plus dévoué que les serviteurs de l'église. À l'instar du pape et de son autre confrère et frère en Christ, Cooper devenu cardinal a les genoux sur le prieur. Il prie autant que les autres, mais pas certainement le même Dieu. Il s'adresse probablement au grand architecte, afin qu'il lui fasse don du meilleur marteau pour assommer le Vatican.

Au plus haut lieu de l'église se trouve un traître, un imposteur dont le but ultime est de détruire l'œuvre des apôtres. La mauvaise graine vient d'être semée au cœur de l'église. Reste à savoir si l'ivraie ne détruira pas le vrai. La présence d'un agent au Vatican met en danger l'église. Le Saint-Père n'a pu jusqu'à présent démasquer Cooper. Son pouvoir ne parvient pas à déjouer la cabale lancée contre le Vatican. Dans les éclats de rire, rien ne témoigne d'un sentiment de méfiance entre le pape et ses collaborateurs. Nul doute que le Saint-Père accorde plus d'importance aux versets bibliques qu'aux adages mondains. Sinon, il aurait compris que les apparences sont parfois trompeuses. Mais hélas, la suspicion n'est pas sa tasse de thé. Seul le vin rouge similaire aux chaussures qui couvrent ses pieds est sa boisson préférée.

Après la prière et le repas du soir, le pape et ses deux proches jouissent du bon vin. Les verres se remplissent et se vident. Ils boivent et s'enivrent. La retenue dont ils font preuve au cours des célébrations eucharistiques n'est que de circonstance. En privé, le Saint-Père et ses collaborateurs se laissent emporter par les fruits de la vigne, dont leur font grâce les moines soucieux de recevoir les bénédictions papales.

— As-tu déjà localisé le parchemin ?

Les pièces du Vatican sont très hermétiques.

— Le devenir de l'ordre est entre vos mains, conclut Sir Smith.

L'opération « *Colombe blanche* », visant à déposséder le Vatican de son plus précieux bien, est dans sa phase finale. L'agent du MI6 se trouve au Vatican. Sa mission n'est pas de faire avancer l'église mais de la faire reculer et trébucher. Cooper, dix-huitièmes degrés de la Franc-maçonnerie, est à un point de l'exploit. Il est sur le point de faire du nouvel ordre mondial une réalité. Son action au Vatican sera déterminante. Par elle, l'ordre maçonnique assiéra son plan et dominera les nations. Les francs-maçons à travers le monde s'impatientent de voir leurs rêves se réaliser.

Au Vatican les jours se suivent et l'atmosphère qui y règne, est toujours confraternelle. Le corps et l'esprit de l'espion ont fini par s'harmoniser avec la vie au Saint-Siège. À le voir à l'œuvre, nul ne douterait de sa foi. Il a tellement pris à cœur son rôle de cardinal qu'il est passé maître dans l'art de chanter et de prier en latin. L'obsession de devenir PEROL a fini par le transformer en homme d'Église. Malgré sa grande dévotion à la sainte Église, il ne cesse de récolter les informations susceptibles de mener au parchemin. Il ne se prive pas de poser des questions indiscrètes au Saint-Père, et à certains cardinaux dont il se sent proche. La taupe du MI6 creuse et veut découvrir la vérité que cache le Vatican. Chaque angle des bâtiments l'intéresse. À l'aide de son téléphone multifonctionnel, il photographie bureaux et bibliothèques et transmet les images à Londres pour décryptage. Un signe peut en cacher un autre. Une lettre peut désigner un lieu, un code ou un objet. L'espion veut se rassurer qu'il ne côtoie pas à son insu le parchemin recherché. Londres est formel, aucune indication sur un lieu ou un objet ne fait jusqu'ici allusion à l'objet recherché. La taupe doit aller plus loin dans ses recherches. Il doit fouiller davantage, et s'il le faut, épier le pape. Pour cela, le MI6 lui apporte tout l'appui nécessaire. Pour ne pas tomber dans la précipitation, il décide d'attendre la fin de l'année pour pénétrer dans le bureau 13. En homme de terrain et sur la foi des révélations du Cardinal Perol, il demande à ses supérieurs de mettre en suspens l'opération. Le directeur trouve le moment long. Il veut au plus vite rentrer en possession du parchemin. Pour le grand maître, le parchemin doit servir en cette année. Le grand maître intime à son chevalier d'aller de l'avant dans les recherches. Le parchemin de Salomon doit revenir à qui de droit. Pour mener à bien sa délicate mission, des informations complémentaires lui sont nécessaires. Il doit lui être alloué des moyens supplémentaires. Seulement, le MI6 ne peut lui octroyer qu'un appui logistique. Déployer des agents de plus au Vatican est risqué et pourrait compromettre toute l'opération. Il doit se contenter des écoutes téléphoniques.

Le MI6 a pris soin de mettre sur écoute tout le personnel du Vatican y compris le pape lui-même. Aucune communication n'entre ni ne sort sans être écoutée, décryptée et analysée. Le Vatican est pris au piège. L'étau se resserre sur la plus haute institution de l'église. Le Saint-Siège est entre les mailles d'hommes avides de pouvoir. Des renégats sans foi ni loi menacent de faire vaciller l'œuvre que le Christ a bâtie sur son disciple préféré. Cette fois, contrairement aux précédentes, le Vatican est attaqué de l'intérieur. Il héberge un homme dont le but est de le détruire à jamais, un espion pendant que le véritable serviteur de l'église croupit dans une maison à Varsovie. Le MI6 retient en otage le Cardinal Perol et ses proches. Ils sont tenus à l'écart du monde, tels des condamnés en attente d'une exécution. Les cinq hommes se gavent d'aliments et échangent avec leurs geôliers dont ils espèrent la clémence.

— Quand comptez-vous nous libérer ? demanda spontanément le Cardinal à l'agent Margaret.

— Dans les prochains jours.

— Il y a plus de deux mois, vous répétez la même chose mais rien n'est fait.

Tova perd patience, il n'en peut plus d'écouter le même refrain. Il veut être libre de ses faits et gestes. Aller et venir, déambuler sur les routes de Varsovie à la recherche d'un emploi. Le jeune plombier polonais au chômage était, il y a quelques mois encore, obsédé par l'emploi. À présent, travailler n'est plus sa priorité. Seule la liberté reste pour lui l'essentiel. Une liberté perdue, parce que familier au cardinal. Lui et les autres se retrouvent à tort dans un traquenard qui ne visait que le cardinal. Ils sont victimes des dommages collatéraux d'une guerre dont ils ignorent les motivations. Des victimes innocentes d'une bataille opposant la Franc-maçonnerie au Vatican. Ils sont pris entre deux feux, entre deux camps qui s'opposent et s'affrontent dans l'ombre.

En plus de lui avoir ouvert les portes du Vatican, le titre de cardinal est la source de ses malheurs et des siens. Perol est envahi par un sentiment de culpabilité. Il s'en veut d'être la cause de l'emprisonnement des siens. Par la prière et les conseils, il tente vainement de redonner courage aux otages.

— Le seigneur ne nous abandonnera pas. Restons attachés à la prière.

Tous demeurent cependant enchaînés. Ni la prière, ni la foi dont le prélat demande de faire preuve, n'ont pu délier les chaînes en métal qui empêchent à tous de librement marcher.

Au Vatican, Cooper dit les messes, confesse les prêtres, mange et boit en compagnie du Saint-Père, et participe sans gêne à la vie de l'église pourtant pas chère à son cœur. Pour le pape et les cardinaux, Cooper est le cardinal Perol. C'est ainsi qu'il est sollicité lorsqu'il faut réfléchir sur l'avenir de l'église et de la foi chrétienne. Il participe à toutes les réunions et pas des moindres. L'agent du MI6 est devenu un serviteur dévoué de l'église. Il est insoupçonnable, pourtant est le fruit d'une conspiration. La grande machination pensée par la Franc-maçonnerie et exécutée par le MI6 est en marche. Le niveau de planification de l'opération « *Colombe blanche* » est à un seuil où, seule la main divine l'empêcherait d'aboutir.

Au cours des discussions avec le pape, l'espion du MI6 attend qu'un mot fasse allusion au parchemin. Il espère qu'au nom de la grande amitié le liant au pape, ce dernier lui révélera l'endroit où est dissimulé le plus puissant parchemin au monde. L'émissaire du MI6 attend avec impatience ce jour, où par maladresse, le pape lui ouvrira la porte secrète du Vatican. Cooper est patient et prudent. Évitant de prononcer une parole se référant au parchemin, mais parlant simplement de Salomon comme un sage, dont il veut s'inspirer. Méthodique et méticuleux dans sa tâche, il passe la majeure partie de ses journées à sillonner les locaux du Vatican. Il espère y dénicher un détail pouvant le mener au parchemin.

Des jours et des mois passent et le plus puissant parchemin sur terre n'est pas encore trouvé. Il demeure enfoui dans une salle secrète du Vatican. La taupe du MI6 ne cesse pourtant de creuser et de fouiller, mais ses efforts restent infructueux. Le Vatican ne se dévoile pas si aisément ! Le Vatican est hermétique. Certaines allées sont interdites même aux plus grands serviteurs de l'église. Le Vatican a plus d'une chose à cacher, vu le nombre de compartiments réservés exclusivement au pape. Voler le Vatican n'est pas aussi facile que semblait le croire le MI6. Cet état, bien que le plus petit au monde paie à prix d'or ses agents de sécurité. Venir à bout d'une telle machine à surveiller relèverait de l'exploit. Les caméras, les portiques de sécurité, les scanners et détecteurs de métaux sont si performants que le Vatican paraît inattaquable ; mais il fallait en plus un détecteur de mensonges, pour espérer un Vatican inviolable et imprenable.

Cooper a décidé de prendre une pause. Il veut éviter de prendre des risques démesurés. Il préfère agir en fin d'année, le moment où il lui sera donné la possibilité de pénétrer dans le bureau 13. Sa décision d'observer un retrait tactique n'est pas contestée par sa direction qui fait confiance à son jugement d'homme de terrain. Il n'épie plus, ne fouine et ne fouille plus. Il a mis en suspens son rôle d'espion pour ne jouer que celui de cardinal. Son téléphone portable ne s'active plus pour émettre des transmissions codées à la base de Londres. Il vit à présent comme un serviteur modèle de l'église, soucieux de consolider la foi et les dogmes chrétiens. C'est à cet effet qu'il sera sollicité par le Saint-Père.

À l'ordre du jour, le choix de nouveaux évêques dans différentes églises à travers le monde. Les listes comportant une pléthore de noms sont parvenues au Vatican il y a quelques jours. Elles proviennent de chaque partie du monde où la religion catholique est confessée et pratiquée. Sur les listes, les noms et les actions de différents prêtres sont détaillés. Les diocèses proposent les noms de prêtres au Vatican, qui, après étude de chaque cas, décide des meilleurs profils à même d'être sacrés évêques. Cooper ignore tout de la vie pastorale mais est appelé à contribution. En sa qualité de Cardinal Perol, il doit se pencher sur chaque dossier afin d'éclairer le Pape sur ses choix.

Après un long moment de recherche sur les personnalités et le parcours des prêtres postulants, une liste définitive est remise au Saint-Père. Il la parcourt et la paraphe. Les nonces apostoliques peuvent à présent se rendre dans les différents pays pour sacrer les évêques. Leurs ordres de mission ayant déjà été signés par le chef d'État du Vatican. Parmi les nombreux noms de prêtres retenus pour se voir remettre la crosse et la mitre, figure celui de Kouadio. Son travail sur le terrain a séduit ses supérieurs, au point où la question de son expérience a été mise de côté, pour laisser briller sa flamme. Kouadio a si vite gravi les échelons que sa nomination comme vicaire général s'est faite quelque temps après celle de curé de la paroisse de Talla. Il vient d'être plébiscité par ses pères. Il sera sacré évêque. Talla ne sera plus une paroisse mais un diocèse. Cette nouvelle est reçue dans la ville avec joie et fierté. Ainsi, il pourra d'ordonner que soit bâtie une église à Kandouraba, village cher à son cœur. La joie qui l'anime est si grande qu'il ne peut la contenir. Il veut la partager avec les populations de Kandouraba, avec lesquelles il reste en communion malgré la distance. Dans un élan euphorique, il prendra son pickup et le voilà lancé sur le chemin non bitumé. Après des heures et des heures sur une route poussiéreuse et accidentée, la voiture du jeune prêtre revêt une couleur autre. Elle n'est plus d'un bleu comparable avec le ciel ensoleillé de la région des Hauts-Plateaux. Elle est désormais recouverte d'une couche rougeâtre, résultat de poussière collée sur sa carrosserie.

Pendant que la voiture s'enfonce dans la forêt tropicale, ses essuie-glaces balaient la vitre avant. Kouadio n'est pas qu'un prêtre dynamique. Il est aussi un conducteur d'expérience. Vigilant et prudent dans ses manœuvres, il esquive les creux, ralentit devant les ponts fragiles en bois et évite d'écraser les biches rencontrées le long du chemin. Après un long et épuisant voyage, sur une route caillouteuse et parfois montagneuse, il arrive au village aux mille visages. À l'entrée de Kandouraba, son véhicule est déjà sous l'escorte des jeunes gens voulant l'effleurer, et se rassurer que leurs pointes de vitesse de chasseurs de biches se sont améliorées. L'accueil du prêtre s'est toujours déroulé de façon spéciale, voire spectaculaire. Il y est reçu la plupart du temps au son des tambours et claquements de mains.

Le ronflement du moteur n'est plus audible. La voiture est immobile, prête à recevoir son traditionnel toilettage. À chaque fois qu'il rend visite aux chrétiens de ce village, sa voiture subit un lavage complet. Les villageois sont fiers de toucher l'engin à quatre roues. Ici, l'on se déplace sur les ânes. Caresser un quelconque engin est un privilège, pouvant valoir à un jeune homme des regards courtisans de jeunes filles. Pendant que certains, à l'aide de récipients, transportent l'eau du cours d'eau vers le centre du village, d'autres ont en main les malles du prêtre. Ses effets sont ainsi déposés dans la case réservée aux étrangers de marque. À l'intérieur de cette chambre d'hôtes, un lit en bambous a soigneusement été apprêté par les femmes du chef du village. Pendant que Kouadio fait le tour des cases du chef du village et des notables, la journée à Kandouraba tend vers sa fin.

À Kandouraba, le soleil qui s'était mis en avant depuis l'aube, montre des signes d'essoufflement. Il n'est plus aussi brillant et brûlant comme à son zénith. Toute la journée durant, sans répit ni repos, il n'a cessé de courir et de parcourir les routes du ciel, chevauchant les nuages pour illuminer les cases qui composent le village. Autant d'efforts ne pouvaient que lui causer du tort, car il les a faits aux dépens de ses forces, qu'il perd une à une, à l'image de ces rayons qui nonchalamment se retirent de la scène. Le soleil aurait préféré rester suspendu encore plus longtemps au firmament, pour admirer le magnifique village ; mais la fatigue le contraint au repos. C'est avec regret que la grosse boule de feu s'éteint lentement et quitte progressivement le ciel. Elle y est talonnée, sinon pourchassée par une autre boule, moins brûlante, plus douce, mais tout aussi grosse. S'éloignant peu à peu du centre du ciel de Kandouraba, le soleil amorce sa descente vers sa tanière pour se coucher et emmagasiner le maximum d'énergie pour mieux briller le jour d'après. Avec la même assiduité comme s'il avait peur de manquer à un appel, le soleil s'empressa de partir, sans perdre de temps. Mais où va-t-il toujours avec autant d'empressement ? Les habitants de Kandouraba n'ont cessé de se le demander, sans jamais avoir la réponse à cette énigme. De leurs yeux, ils auraient préféré accompagner le soleil jusqu'à ce lieu inédit où il semble s'éclipser. Comme à l'accoutumée, le soleil prit la même trajectoire, empruntant le chemin habituel le menant inexorablement vers son crépuscule.

Tandis que le soleil semble se perdre derrière les montagnes de Kandouraba, il fait un dernier clin d'œil à ses terres en guise d'au revoir. C'est un jour pas comme les autres. Un jour différent des autres jours, à cause des sanglots du soleil l'ayant transformé en énorme boule rouge. Le soleil est triste, et sa face en porte la marque. Le soleil pleure et coule les larmes de sang qui rougissent les nuages. Une partie du ciel n'est plus ce qu'elle était. Elle est à feu et à sang, on dirait même qu'elle est maculée de sang. La tristesse du soleil a affligé le ciel de la plus belle des manières. Qu'est-ce qui pourrait justifier cette tristesse ? Ne reverrait-il plus les beaux paysages du village aux mille visages ? Ne viendrait il pas faire exister l'aurore d'après ? Sa descente le mène-t-il aux enfers, à la mort ? En partant, le soleil laisse sur les lèvres des villageois de brûlantes questions sans réponse, cependant gratifie leurs yeux d'une magnifique image de carte postale.

Après avoir assisté au spectacle du coucher du soleil à Kandouraba, Kouadio peut enfin regagner sa chambre. Exténué par une journée éreintante, il abandonne son corps sur le lit. À Kandouraba, la nuit vient de succéder au jour. L'obscurité a déjà pris les rênes dans ce coin perdu où l'on s'éclaire à l'aide de lampes. Le village est plongé dans le noir et le silence qu'interrompent les chants des hiboux. L'on n'entend plus les éclats de voix. Le bruit des pilons dans les mortiers ne fait plus échos. L'hymne des canards et canetons n'enchante plus le village tout entier. Seuls les aboiements des chiens rappellent aux visiteurs ou aux voleurs de prendre garde. Kandouraba dort et le jeune prêtre aussi. Ils sont bientôt réveillés par les premiers chants du coq. Les villageois n'ont guère besoin de montres pour savoir que le soleil lui aussi s'est déjà réveillé de son long sommeil.

Dès les premières lueurs de l'aube, les habitants du village cessent de rêver et de ronfler. Leurs corps quittent les nattes. Leurs mains s'arment de machettes et de houes pour aller batailler dans les champs. Ce jour est celui du seigneur, un jour pas comme les autres. Paniers et corbeilles ne sont pas au rendez-vous le dimanche, ne sont à la mode que les bibles et les chapelets. La ponctualité est de rigueur à la messe. Dieu est créateur de toute chose, et ne peut attendre ses créatures. Par peur de déplaire à Dieu, les villageois se sont précipités vers le cours d'eau bien avant que le soleil ne leur fasse son sourire dominical. Le bain est collectif. Les femmes d'un côté et les hommes de l'autre. Les villageois veulent être propres, purs et sains de corps, pour recevoir le corps du Christ. Les femmes de leur côté chantent « *Viens esprit du Seigneur, viens nous t'attendons* ». Elles veulent le recevoir bien avant leurs époux, dont les bouches remplies de colas sont plus occupées à mâcher qu'à chanter.

Kouadio quant à lui a fini sa toilette et entre dans la case du chef du village, où il a été convié à prendre le petit déjeuner. Les deux hommes sont assis de chaque côté d'une table en bois mal rabotée sur laquelle est posée une assiette remplie d'ignames et de sauce d'arachide. Les deux hommes mangent copieusement. En sa qualité de chef, Zabouto aura le privilège d'apprendre en premier que son hôte sera consacré évêque dans les prochaines semaines. Cette heureuse nouvelle mérite des calebasses de vin de palme. Les deux hommes se laissent emporter par l'enivrant vin blanc, jusqu'à ce que les chants des fidèles rappellent au prêtre son devoir.

Les villageois sont sur pied et n'attendent que l'arrivée du prélat. C'est ainsi que Zabouto fait appel aux servants de messe, qui s'empressent d'investir la case. Leur aide est précieuse pour le prêtre qui, jusque-là, n'avait pas dressé l'autel. Ils arrangent les hosties et le vin. Pendant ce temps, le prêtre recouvre son corps d'une chasuble blanche. Il ne lui reste qu'à entourer son cou d'une étole, signe de l'autorité du prêtre. Après une brève prière lue de son bréviaire, il fait son entrée dans le hangar sous lequel est dressé l'autel. D'un pas serein et accompagné de quatre enfants de chœur, il passe au milieu de la foule qui se lève spontanément. Ses pas et ceux des servants de messe sont rythmés au chant de la chorale.

La messe n'est pas encore dite, mais elle a commencé par les chants d'Action de grâce. Elle se déroule comme à l'accoutumée : de la repentance des péchés à la miséricorde de Dieu, en passant par l'homélie et la transformation du pain et du vin. Comme toujours, les villageois ont massivement répondu présents. Tenus en file indienne, ils attendent de recevoir le corps du Christ. Le soleil ardant ne les dissuade pas. Tous autant qu'ils sont veulent manger le corps du Christ sur terre, pour espérer dîner avec lui au grand festin céleste. Le prêtre a l'obligation de tous les satisfaire, malgré la fatigue de son bras qui n'en peut plus du même geste. Il est le seul célébrant et lui seul est habileté à partager le corps du Christ aux centaines de fidèles. La douleur sur son bras et son avant-bras est de plus en plus intense, toutefois, il ne peut se permettre de laisser apparaître le moindre signe de faiblesse. Il doit aller jusqu'au bout, de peur de faire perdre la foi aux villageois, qui ne comprendraient pas que le serviteur de Dieu ne soit pas doté d'une force surhumaine. Aidé certainement par sa foi, il distribua le corps du Christ à tous les fidèles présents.

La messe tend à sa fin. Le célébrant a gardé le meilleur pour la fin. Avant de donner la bénédiction finale, il annonce à l'assemblée qu'il sera sacré évêque. S'ensuivent alors applaudissements, chants et cris de joie. La messe achevée, Kouadio manifeste l'envie de repartir à Talla, mais en est dissuadé par Zabouto qui le convie à assister à la danse du soir. Pour que la fête soit belle, le chef du village met à la disposition des villageois un fût de vin de palme. Chacun se sert à sa guise au son des tam-tams et des balafons. Les jeunes femmes réunies autour du feu de bois exécutent les pas de la danse des vierges. Les hanches recouvertes de feuilles de bananier et les seins à découvert, les jeunes femmes montrent leurs talents de danseuses, exhibant leurs belles cuisses aux mâles en quête de femelles. Assis près de Zabouto, Kouadio applaudit et ne regrette pas d'être resté. Le spectacle offert par les jeunes filles est sensuel. Un tel spectacle éveillerait en quiconque des désirs sexuels. En plus de leur beauté, les jeunes filles promènent sur les spectateurs des regards aguicheurs. En voyant des gouttes de sueur caresser leurs seins d'un noir luisant, les hommes présents se tiennent les entrejambes, de peur que leurs verges tendues ne transpercent leurs pantalons.

Les corps lisses et fermes de jeunes femmes n'ont guère laissé Kouadio insensible. Les désirs de son corps prennent le dessus sur ses principes. Pour éviter d'être trahi par la raideur de sa verge, il se voit contraint de croiser ses jambes. Il n'est visiblement pas à son aise et paraît dérangé, transpirant à grosses gouttes et se mordillant sans cesse les lèvres. Lorsque la jambe droite n'est pas au-dessus de la gauche, c'est l'inverse. De même pour ses bras, tantôt sur les accoudoirs du fauteuil, tantôt croisés. Le jeune prêtre est méconnaissable. L'homme de Dieu paraît sous l'emprise de l'esprit du monde. Il est attiré par une danseuse dont la souplesse du corps et la beauté des seins n'ont point d'égal.

Fanta est de loin la plus talentueuse et la plus belle des danseuses du village. Les prouesses que font ses jambes et ses hanches lui ont valu l'appellation de « Fanta magique » ; tellement elle est magistrale et phénoménale dans l'exercice de son art. Fanta est passionnée de danse. Elle veut en faire un métier, un gagne-pain à même de nourrir sa mère et son jeune frère. Ses énormes talents de danseuse ne pouvaient que correspondre avec un physique comme le sien. Elle possède ce qu'il y a de mieux chez la femme Bantoue : son corps, embelli par une éclatante peau d'ébène, a des courbes généreuses, propres aux femmes de la forêt. Outre ses hanches mettant en valeur les pagnes en coton, son visage arrondi se singularise par deux marques de naissance. Elle est la plus convoitée des jeunes filles du village. Les hommes de tout âge la courtisent y compris le chef qui veut en faire sa onzième épouse.

La nuit est déjà avancée à Kandouraba et les vierges exécutent les derniers pas de danse pour clore la soirée. La foule se disperse, le centre du village se vide. Le prêtre félicite et bénit les danseuses puis, d'un geste de la main, indique le lieu du rendez-vous à Fanta. Elle feint de n'y accorder aucune importance, de peur d'attirer l'attention des autres danseuses et de Zabouto, son principal courtisan.

Le calme est revenu dans le village. Chaque villageois a regagné sa case excepté le prêtre qui, sous un arbre, espère l'arrivée de Fanta. Adossé sur le tronc d'un grand fromager, il est aux aguets : un coup d'œil par-ci, un autre par-là, tel un prédateur guettant sa proie. Après un court instant d'attente, Fanta arriva, il la conduit aussitôt dans sa case de passage. La chambre est éclairée d'une petite lampe que le prélat prend soin de relever la mèche afin d'illuminer davantage la pièce. La case est silencieuse, on dirait qu'elle est vide. Elle abrite pourtant un prêtre puceau et une vierge. Kouadio et Fanta ne s'échangent que des regards, pas de mots. Les paroles n'expriment pas toujours ce que l'on ressent. Elles sont parfois maladroites. Les regards quant à eux dévoilent la profondeur des âmes. Ils révèlent les envies enfouies au-dedans des hommes. Pour laisser libre cours à leur désir, le prêtre et la danseuse ont opté pour les gestes. Ainsi, tandis que les mains de Fanta déboutonnent la soutane du prêtre, celles de Kouadio caressent ses fesses, avant de les débarrasser de la jupette qui les protégeait des regards indiscrets. Une fois leurs deux corps dépourvus d'étoffes, ils s'unissent dans le lit. Au fur et à mesure que les mouvements de hanche de Fanta accélèrent les va-et-vient de Kouadio, le lit en bambou crie et grince des dents. Loin des scènes de danse, Fanta prouve qu'elle peut danser même dans les plus obscènes des parties. Kouadio s'en réjouit, surexcité par les gémissements qu'elle libère à chaque fois qu'il la pénètre puissamment. Les ébats sont si fougueux que les jeunes gens dégringolèrent du lit sans s'en apercevoir. Ils n'auront de répit que, lorsque, tel un libérateur, vint la jouissance pour les récompenser des efforts fournis.

— Oh, Seigneur, pardonne-moi de n'avoir pas respecté mon vœu de chasteté.

— Ton Seigneur sait que tu es un homme, répondit Fanta pour consoler son amant d'un soir.

— Je n'aurais pas dû aller si loin.

— Tu ne m'aimes donc pas ?

— Je t'aime Fanta, juste que nous sommes allés très loin.

— Nous ne sommes pas allés plus loin que d'autres.

— Qu'insinues-tu par là ?

— Les prêtres de ta paroisse ont engrossé mes deux cousines.

— Ah bon ?

— Si. Sache donc que tu n'es pas le seul à t'être épris d'une fille jusqu'à s'accoupler avec elle.

Malgré les paroles réconfortantes de Fanta, le prêtre éprouve des remords pour n'avoir pas résisté à la tentation de la luxure. D'autre part, il se réjouit d'avoir connu la jouissance, et de ne pas être le seul dans la famille des prêtres à savourer un tel délice.

— Serre-moi fort, mon futur évêque.

— Je serai évêque du Christ et de l'église, pas ton évêque ma chérie.

— Tu seras autant évêque de ton église que le mien, je t'assure. Et puisque nous y sommes, une fois évêque, plaide pour le mariage des prêtres.

— Et pourquoi cela ?

— Parce que vous êtes des serviteurs de Dieu, mais avant tout des hommes.

— Écoute ma chérie ce n'est pas à un évêque de changer les règles dans l'église.

— À qui revient-il de droit alors ?

— Au Pape, lui seul est habileté à le faire.

— Oui mais penses-y. Je sais que tu es un homme de cœur, je suis écœuré de voir mes cousines élever toutes seules les enfants de tes collègues prêtes.

La nuit se conclut par les recommandations de la jeune femme. Le lendemain, l'homme de Dieu dit au revoir et reprend le chemin du retour.

À des milliers de kilomètres de là, la tension est vive. Le grand maître rappelle à Cooper l'importance de sa mission.

— Cooper, rappelle-toi qu'un chevalier ne doit jamais trahir son serment.

— Je ne faillirais point, ô, grand maître.

Les paroles du chevalier rose-croix rassurent le grand maître, qui a hâte de posséder le parchemin et de posséder le monde.

Au Vatican, l'heure est aux préparatifs de la fête de la nativité. Chaque prélat s'est vu confier une tâche par le Saint-Père. Cooper devenu Cardinal Perol a la charge de rédiger le discours papal du 25 décembre. Il ne s'y met pas à cœur joie. Jusqu'à présent, il n'a pas encore été convié à entrer dans le bureau 13. Il s'impatiente, l'occasion ne se présente qu'une fois l'an ; la rater signifierait l'échec de l'opération « Colombe blanche ». L'officier du MI6 ne sait quelle astuce utiliser pour amener le Pape à lui ouvrir la porte du bureau 13. La raison de son infiltration au Vatican est la récupération du parchemin de Salomon. Les jours passent et rien n'est fait. Il dîne toujours avec son ami et confident le Saint-Père, mais ce dernier ne fait point allusion au bureau 13. Le Cardinal Perol aurait-il délibérément menti aux agents du MI6 ? Cooper veut en savoir davantage. À l'aide de son téléphone portable dont il ne se sépare jamais, il appelle le bureau des opérations. Il veut se rassurer que son sosie n'a pas fait de fausses déclarations au sujet du parchemin. Il a au bout du fil le penseur de l'opération « Colombe blanche ».

— Chef White, l'opération « Colombe blanche » est en ballottage.

— Comment est-ce possible, t'es-tu fait démasquer ?

— Loin de là, jusque que le temps presse et les portes du bureau 13 ne s'ouvrent pas.

— Le comportement du maître des lieux a-t-il changé à ton égard ?

— Pas du tout, nos rapports sont les mêmes.

— Prend patience agent Cooper.

Il ne peut s'armer de patience. Sa vision de l'opération « Colombe blanche » est différente de celle de certains de ses collègues. Pour la majorité des agents impliqués dans cette cabale contre le Vatican, l'opération en cours est menée pour l'intérêt du Royaume-Uni. Ils ignorent que les ficelles sont tirées par la main noire de la Franc-maçonnerie. Les agents de MI6 sont des hommes au service de la nation. Ils sont payés par le contribuable anglais, et en retour doivent assurer leur sécurité à l'intérieur et hors de la Grande-Bretagne. C'est avec toute la conscience professionnelle qu'ils effectuent leur besogne.

Au Saint-Siège, les jours s'égrènent comme des heures. L'on n'est plus qu'à quelques heures de la célébration de la nativité. Plus que 48 heures avant la fête de Noël. Dans seulement deux jours naîtra l'Enfant Jésus. Les chrétiens du monde entier comme chaque année s'apprêtent à célébrer l'événement avec faste. Au Vatican, c'est avec impatience et grande joie qu'est attendu Jésus, le Christ, le Sauveur des hommes et bâtisseurs de l'église. Ici plus qu'ailleurs, l'on s'attend à recevoir un nombre considérable de fidèles. Les services de sécurité s'organisent de façon à encadrer au mieux les mouvements des foules. Dans différentes sacristies du Vatican, les prêtes arrangent les hosties, nettoient les encensoirs et autres accessoires devant servir pour diverses messes. Le Vatican et sa basilique sont prêts à recevoir dans l'ordre, la gaieté et la propreté, leur Christ et Roi. Le Saint-Siège a pris les dispositions nécessaires afin que l'arrivée au monde de l'Enfant Jésus se fasse le plus agréablement possible. Demain est le grand jour, plus que 7 jours avant la fin de l'année, le parchemin n'est toujours pas trouvé. L'agent Cooper a fini de rédiger le discours papal du 25 décembre, et n'attend qu'à être appelé par le Saint-Père pour la réunion de fin d'année.

En ce 24 décembre, le Pape reçoit de grands donateurs de l'église. Des audiences sont accordées à ces hommes et femmes qui, par leur générosité, font vivre la sainte Église. Ce jour est le leur. La tradition date depuis des millénaires. Elle s'inspire des dons des trois rois mages à l'Enfant Jésus. Chaque année, chaque veille du jour commémorant la naissance du Christ, le maître du Vatican reçoit des présents.

Après ses audiences, le Pape demande à voir le Cardinal. Cooper est tout joyeux à l'idée de passer à l'action. Il vient de recevoir l'ordre de se rendre dans le bureau 13. En parfait espion, il communique avec sa base de Londres, qui lui demande de se munir de son téléphone portable. Au siège du MI6, le directeur adjoint et chef des opérations secrètes a pris place dans la salle des opérations. Par message codé, il demande à l'agent Cooper de mettre son téléphone en mode vidéo, de façon à ce que soient visualisées les images sur les écrans de contrôle. L'opération « Colombe blanche » a repris du service et des ailes.

La Colombe est sur le point de s'envoler, en emportant avec elle l'objet le plus précieux du Vatican.

Vêtu d'une belle et longue soutane noire, et d'un couvre-chef rouge, Cooper est Cardinal, et sa démarche plus ecclésiastique que jamais. En compagnie du cérémoniaire du Pape, il avance dans les allées secrètes du Vatican et en même temps, les images sont visionnées sur les écrans du MI6. Ce qu'entend et voit Cooper est perçu de la même manière par les experts restés à Londres. Le directeur adjoint et les analystes du MI6 sont au Vatican sans y être. En fond sonore, ils écoutent les bruits des voix et des pas comme s'ils étaient dans les couloirs du Saint-Siège. À l'aide d'une transmission impeccable, le directeur adjoint et ses conseillers ont le Vatican sous leurs yeux : chaque image est décryptée jusqu'à en tirer le maximum d'informations.

Son inséparable téléphone en main, Cooper fait son entrée dans le bureau 13 à la satisfaction de tout le personnel du MI6. « Tout va pour le mieux dans le meilleur des mondes possible ». Les dires du Cardinal Perol toujours retenu en otage étaient vrais. À l'intérieur du bureau 13, l'ambiance est conviviale et confraternelle.

— Soyez le bienvenu Cardinal Perol.

— Je vous remercie très Saint-Père.

Pendant que les deux hommes échangent des amabilités, la caméra du téléphone de l'espion tourne, filme et enregistre les sons et les images.

— Il faut donner une nouvelle vision et orientation à l'église.

— Évidemment Saint-Père, les brebis que nous sommes attendent de suivre le chemin tracé par vous.

Votre humilité et disponibilité à servir l'église n'a pas d'égal.

— Venant de vous Saint-Père, je considère cela comme une exhortation à faire mieux.

— Le monde a besoin d'hommes de foi de votre trempe.

Au cours de cette courtoise et aimable discussion, il est remis au Cardinal Perol un chèque en guise de récompense annuelle pour la tâche accomplie au Vatican. Au moment de le recevoir, sa main effleura une grosse boule représentant le globe terrestre. La réaction du Pape fut prompte, et virulente à la limite.

— Garde-toi de mal faire usage de tes mains, afin que le monde ne tombe entre les mains du mal.

Cooper vient par inadvertance de toucher un ballon sur lequel est dessinée la carte du monde. Rien d'anormal, pourtant ce geste anodin a suffi à faire réagir le Pape.

La réaction du Pape accroît la curiosité de l'indic, qui se demande ce que peut bien représenter un simple ballon. Son téléphone filme et transmet sur les écrans du MI6, l'image du globe déposée sur la table du bureau 13. Grâce à une technologie sophistiquée, les experts et analystes découvrent qu'à l'intérieur du globe se cache un objet difficile à identifier. L'on ne peut dire de quoi il s'agit, toutefois, selon Sir Smith, il ne peut que s'agir du parchemin recherché. Le grand maître est confiant. Le parchemin tant convoité est localisé. Il repose dans un ballon représentant le globe terrestre. Le Pape a pris soin de l'y cacher afin que la banalité de la cachette ne puisse éveiller les soupçons. Selon le très mystique Smith, le parchemin a été placé dans la boule représentant le globe pour une tout autre raison. Le choix du ballon représentant le monde n'est pas hasardeux ; le parchemin y a été dissimulé afin que son énergie se répande dans tous les pays du monde. Cette puissante énergie, propagée par le biais des villes et pays symbolisés sur le globe, a eu le mérite de faire du Vatican une institution et un état influent dans le monde.

L'objet pour lequel a été décidée l'opération « *Colombe blanche* » vient d'être repéré, il ne reste qu'à le récupérer, et le ramener à Londres.

À l'intérieur du bureau 13, le huis-clos entre le cardinal et le Pape s'achève. L'espion a fini son tête-à-tête annuel avec le Saint-Père. Il doit à présent regagner ses appartements. Il ne remettra les pieds dans le bureau 13 que le 24 décembre prochain. IL a l'air accablé, triste de n'avoir pas réussi une mission qui semblait pourtant à sa portée. Une fois la porte du bureau 13 franchi, il se dirige hors des bâtiments qui forment la cité du Vatican. L'espion vient d'échouer à sa mission, il n'a pas récupéré l'objet pour lequel il a été infiltré au Vatican. Le chevalier rose-croix a failli envers sa loge. Il a trahi le serment fait à son grand maître. Il s'en veut de n'avoir pas été à la hauteur de la confiance placée en lui par ses supérieurs. Il n'a qu'une idée, passer l'éponge sur cette chaotique mission.

Au quartier général du MI6, l'heure est à la réflexion. Il faut trouver une stratégie à même d'aider Cooper à enlever le globe du bureau 13. Le voler est mission impossible. Le directeur du MI6 est en sueur. Il voit son rêve d'asseoir le nouvel ordre mondial s'envoler. Ses envies de puissance sont non loin de devenir que de lointains souvenirs. La porte du bureau 13 s'est refermée et l'espoir de dérober le parchemin avec.

Le grand maître urge le bureau du MI6 chargé de l'opération « *Colombe blanche* » de trouver la solution pour ramener le parchemin. Comme toujours, en cas d'impasse, un homme est appelé à la rescousse. Un homme dont le génie a le mérite d'avoir planifié avec succès plusieurs opérations secrètes du MI6. L'agent white, devenu chef des opérations secrètes du MI6, puis directeur adjoint, est une fois de plus sollicité à faire valoir son talent de grand tacticien. En sa qualité de meneur de l'opération en cours, il est la personne capable de mettre sur pied une stratégie susceptible d'aider l'agent Cooper à accaparer le parchemin. Doté d'un talent, d'une vision et d'une perspicacité qui forcent le respect, White va réfléchir jusqu'à faire fléchir le Vatican. Il a fini par trouver la meilleure approche, la meilleure astuce permettant à Cooper d'accaparer le parchemin sans gêne. Il lui communique aussitôt les nouvelles instructions.

— Agent Cooper, qui excepté le Pape a accès au bureau 13 ?

— Son cérémoniaire.

— Je propose que tu l'approches et lui demande de changer le globe, en prétextant que celui sur le bureau 13 est vieux.

— Que devrais-je faire ensuite ?

— Il faudra au préalable te procurer un globe identique que tu remettras au cérémoniaire. Une fois l'échange effectué, tu prendras l'ancien globe et le ramèneras à Londres.

Le plan vient d'être ficelé. Il paraît crédible, cependant demeure une inconnue. Le cérémoniaire du Pape connaît-il ce que cache le globe sur le bureau de son maître ? L'agent Cooper devenu cardinal et son directeur adjoint n'ont pas pensé à l'éventualité que le cérémoniaire du Pape connaisse tous les secrets du Vatican.

Le Vatican et le monde chrétien sont en fête en ce jour du 25 décembre, où naquit des milliers d'années plus tôt l'Enfant Jésus. Après la grande messe célébrée par le Saint-Père, il reçoit dans un bureau autre que le bureau 13, les enfants d'origine et de rangs sociaux divers. En compagnie de leurs parents, les tout-petits viennent faire bénir leurs jouets. La veille, les grandes fortunes étaient à l'honneur au Vatican. Pour rejoindre les paroles du Christ dont est célébrée la naissance, le Saint-Père s'entoure des enfants, pour vivre un avant-goût du paradis. « Laissez venir à moi les enfants, car le royaume des Cieux leur ressemble. » Ils sont tous beaux, avec des sourires angéliques et innocents. Ils sont une trentaine, tirés au hasard par le protocole du Pape, parmi les nombreux enfants venus assister à la messe. Leurs jouets en mains et tenus par les mains de leurs géniteurs, ils passent tour à tour devant le Pape qui les bénit ainsi que leurs inséparables gadgets. L'agent de MI6 a lui aussi son jouet en main. Il le présente au cérémoniaire du Saint-Père en ces termes :

— Notre Saint-Père est vieux. Ses idées et goûts aussi. Je propose que tu enlèves le vieux globe sur son bureau et le remplace par celui-ci, plus gai et plus neuf.

— Je devais lui en parler au préalable. Répondit le cérémoniaire.

— Ce n'est pas une grande décision, mon désir est d'accommoder notre église avec son temps. Nous n'avons pas besoin pour cela d'importuner notre Pape.

— Je conviens avec vous, cardinal Perol.

Le cérémoniaire du Pape vient d'accepter un cadeau empoisonné. Lui qui, le plus de son temps, est en compagnie du Pape, ignore les secrets du Vatican. Le prélat à qui le Saint-Père se confie le plus n'a pas idée de ce que contient le globe. Il maîtrise certes l'emploi du temps papal, toutefois certains codes du Vatican lui sont inconnus. Pendant que, muni du nouveau globe, il se dirige vers le bureau 13, le Pape fait appel au Cardinal Perol. Il est demandé aux côtés du Saint-Père pour l'assister à recevoir la multitude d'enfants qui veulent tantôt le toucher, tantôt faire une photo avec lui. À la droite du Pape, avec un sourire des grands jours, qui en dit long sur sa satisfaction d'avoir enfin réussir sa mission, Cooper joue les hommes d'Église. Avec attention et délicatesse, il encadre les enfants et leurs parents. Il ne manque pas de prendre certains en photo en compagnie du Pape. L'espion partage le bonheur des enfants de se retrouver aux côtés du Saint-Père, toutefois ses pensées sont ailleurs. Il se voit en possession des 100 000 livres, promises par son grand maître en cas de réussite de l'opération « *Colombe blanche* ». La joie du chevalier rose-croix est immense, à l'idée de savoir la Franc-maçonnerie détentrice d'un pouvoir inégalé.

Le serviteur du Pape a suivi à la lettre les recommandations du Cardinal Perol. Il a remplacé l'ancien globe par celui que lui a remis l'espion. Après avoir refermé la porte du bureau 13, il sort avec en main, le globe dans lequel se cache le plus puissant des parchemins sur terre. Il a exécuté les ordres du cardinal, il doit à présent vaquer à ses fonctions de cérémoniaire. Ne sachant pas ce que cache le globe et ignorant le but de la ruse de Cooper, le cérémoniaire s'empressa de se débarrasser du vieux globe. Le premier enfant passant devant lui fut celui à qui il en fit don.

— Regarde maman, le père Noël m'en a fait cadeau.

— C'est bien mon chéri, on peut à présent repartir à la maison.

Le petit enfant repartit ayant en main l'objet de toutes les convoitises et de tous les dangers.

Le Vatican vient de perdre ce qui faisait sa force et sa puissance. Le parchemin s'est envolé, non sur le dos de la colombe comme prévu par le MI6, mais sur celui d'un petit enfant. L'héritage légué aux francs-maçons par leur maître et grand bâtisseur Salomon n'est plus dans les chambres secrètes du Vatican, il est entre les mains d'un petit enfant. Les écritures ne disent-elles pas « ce qui a été caché aux sages a été révélé aux plus petits. » L'objet pour lequel se battent les mouvements ésotéristes depuis des millénaires a échoué entre les mains d'un garçon de 7 ans. Il n'est pas issu d'une famille nantie. Il s'est juste retrouvé à l'endroit idéal et au moment idéal.

Les activités marquant les festivités de Noël achevées, le Saint-Père regagne ses appartements privés. Cooper quant à lui s'oriente vers le bureau du cérémoniaire, dans l'espoir de lui reprendre le globe enlevé du bureau 13. Autour d'un verre vin, les deux hommes ressassent les moments forts de la journée, avant d'aborder le sujet du globe.

— Votre sens de l'organisation est impeccable. Personne d'autre que vous ne mérite d'être cérémoniaire du Saint-Père.

— Je suis flatté Cardinal Perol. Votre dévouement pour la cause de la sainte Église est aussi remarquable.

— Je vous remercie Monseigneur Piache, dites-moi avez-vous réfectionné le bureau 13 ?

— Tout a été fait, j'ai remplacé l'ancien globe par celui que j'ai reçu de vous.

— C'est parfait, tu es un serviteur fidèle. Où as-tu donc mis l'ancien globe ?

— J'ai voulu le mettre à la poubelle, mais il m'est venu en idée d'en faire don à un enfant.

— Oh, Seigneur, quelle idée géniale ! s'exclame Cooper qui de peu faillit s'effondrer.

Son cœur bat très fort et très vite, l'espion est pris d'un malaise. Il est tout de suite conduit à l'infirmerie du Vatican, et n'aura la vie sauve qu'après un massage cardiaque.

— Vous devez rester ici pour plus de soins.

— Ce n'est qu'un malaise passager dû à la fatigue, je m'en remettrai, n'ayez crainte mes enfants.

Cooper ne sait comment annoncer à ses supérieurs que le parchemin s'est volatilisé. Il veut s'enfuir et tout abandonner, au risque d'être celui sur lequel s'abattra la furie du Pape, une fois la supercherie découverte. Sir Smith est du même avis, son adjoint pense le contraire. Selon White, Cooper doit demeurer au Vatican.

— Agent White, vous risquez de nous mener à la dérive.

— Monsieur le directeur, je pense que nous avons encore à faire au Vatican.

— Que faire alors que le parchemin n'y est plus ?

— Il peut y avoir une réplique cachée en cas de perte de l'original. Je suggère que Cooper ne quitte pas le Vatican. Nous prendrons des mesures pour faire pression sur Monseigneur Piache.

— De quelles mesures s'agit-il ?

— Les experts épluchent déjà son dossier, nous saurons qui il est dans les minutes suivantes.

— Agent white, il n'est pas question de kidnapper qui que ce soit.

— Je préconise juste que nous ayons des informations sur sa famille.

— Pour quoi en faire ?

— Pour le faire chanter le moment venu.

— Vous allez trop loin agent White.

— Nous avons l'obligation d'aller jusqu'au bout, Monsieur le Directeur.

Dans la salle des opérations, les informaticiens et experts n'ont pris aucun repos. Ils ont passé la fête de Noël loin de leurs familles respectives. De jour comme de nuit, ces génies en informatique brouillent les systèmes de communication, écoutent les conversations, trafiquent les données et décryptent les messages même les plus codés. Plus que quelques minutes, et ils sauront tout du cérémoniaire du Pape. Bientôt, ils auront une idée précise de la personne avec laquelle il passe autant de temps au téléphone. Son père, sa mère, ses deux frères ainsi que leurs lieux de résidences, ont été les informations les plus faciles à trouver. Outre ces informations basiques, les agents sont parvenus à retracer tous les transferts illégaux de fonds d'un des comptes du Vatican vers un compte aux îles Caïmans.

Il n'aura fallu que 25 minutes aux experts du MI6 pour trouver un nom. Alberta vient d'être fichée dans les dossiers de l'agence de renseignements Britannique. Son domicile de Naples et celui de Paris sont désormais connus par les agents du MI6. Cette jeune et belle Napolitaine fait à présent l'objet d'une enquête minutieuse. L'on veut savoir ce qu'elle gagne en qualité de directrice d'une petite école primaire de la banlieue de Naples. Le caractère de ses rapports avec l'évêque Piache est déjà connu, il ne reste qu'à savoir la fréquence et le lieu de leurs rendez-vous.

Monseigneur Piache, bien que proche du Saint-Père, n'est pas pour autant saint. Il a beaucoup à se reprocher. En plus du vœu de chasteté qu'il ne respecte guère, il détourne de fortes sommes d'argent. Le MI6 a de quoi le faire taire à jamais. Les recherches sont plus que fructueuses, Cooper peut dormir tranquille. Au Vatican, les heures se sont écoulées depuis la disparition du parchemin, malgré cela l'ambiance n'a pas changé. Le Saint-Père et son cérémoniaire ne se doutent pas qu'une grave erreur a été commise en ce jour. Ce qui donnait au Vatican et à son maître le leadership dans le monde a disparu, emporté par un petit garçon.

Dans un quartier paisible de Bales vit mademoiselle Chantale. Caissière dans un supermarché, elle élève toute seule son fils Karl. Âgée de 34 ans, elle mène une existence paisible en compagnie de son unique enfant. Cette petite famille chrétienne sans histoire s'est attiré sans le savoir les foudres de la Franc-maçonnerie et du MI6. Par le biais des caméras trafiquées, les agents ont pu avoir les images de Piache remettant le globe au petit Karl. Les visages du petit garçon et de sa mère sont à présent connus des maîtres penseurs du MI6, et font l'objet de recherches d'envergures mais vaines. Ces deux personnes ne sont ni célèbres, ni fortunées, et encore moins fichées sur la liste d'Interpol. Retrouver leurs traces s'avère difficile, même pour une agence de renseignement, surtout que leurs noms ne figurent pas sur les manifestes du Vatican. Ils ont été choisis à tout hasard pour recevoir la bénédiction du Saint-Père. Ils ne font pas partie des donateurs de l'église et ne sont pas habitués du Saint-Siège. Chantale et son fil sont des chrétiens ordinaires. Venus au Vatican pour célébrer la naissance du Christ Jésus, ils sont repartis en Suisse avec un inestimable présent.

Dans sa chambre à coucher, le petit Karl a déposé le globe ramené du Vatican sur sa table de chevet. Il ne joue point avec ce gros ballon sur lequel sont représentés tous les pays du monde. Il le contemple juste, en comptant un à un les pays et les villes qui y sont inscrits. Il accorde une importance particulière à ce cadeau offert par un prélat de l'église. Le nettoie sans arrêt, et s'assure qu'il est bien en place. Le globe est précieux pour le petit garçon, bien plus précieux que les nombreux autres jouets achetés par sa mère.

Au Vatican, l'heure est aux vêpres, le Saint-Père et deux cardinaux lisent la prière du soir avant de passer à table. Le cardinal Perol fait comme toujours partie de ce trio. L'agent du MI6 s'est remis de son échec et s'apprête à remettre sa vie entre les mains de Morphée. La nuit sera pareille à la précédente, douce et paisible.

À Bales en Suisse, le petit Karl s'est réveillé des heures plut tôt, alerté par une odeur de brûlis. La forte odeur de plastic brûlant a interrompu le sommeil du garçonnet, au point où il est sur pied à la même heure pendant laquelle sa mère prépare le déjeuner. Il a cru à un incendie avant de découvrir sa chambre telle que rangée la veille. Rien d'anormal, tout semble en ordre, pourtant l'odeur ne cesse pas, elle persiste et s'amplifie de plus belle. Lassé d'humer cette désagréable odeur, il répand sur les murs et les objets un parfum. Après avoir aspergé sa chambre, il se dirige vers son globe pour le nettoyer. En s'approchant, il constate que le gros ballon est perforé. Une petite fumée s'échappe de la matière plastique qui le compose. En jetant un coup d'œil à l'intérieur, l'enfant est attiré par la couleur jaune. Un objet brillant se cache dans le globe. Curieux, il balade sa main dans le ballon et en extrait un métal. Assez volumineux et tout en or. Outre l'anneau en or, c'est une peau de bête. Heureux, et surpris de sa trouvaille, il prend soin de déplier la peau de bête. Il veut se rassurer qu'elle ne cache pas autre chose. À peine la déballa-t-il, qu'il la replia, apeuré par l'effroyable et indescriptible symbole qui y est gravé. Malgré la peur, il parvient à dissimuler dans un de ses pantalons, la bague et la peau de bête.

Tous les matins, mademoiselle Chantale prépare le déjeuner. Elle a fini de presser les oranges. L'omelette est à moitié cuite selon la préférence de son fils adoré. Sur la table, la couleur dorée des baguettes de pain, et celle de jolis et savoureux fromages éclipsent la beauté de la nappe fleurie qui l'habille. Tout est prêt. Les tasses en céramique, les petites cuillères et les couteaux sont déjà disposés de chaque côté de la table. Il ne reste que Karl. En jetant un regard sur la pendule accrochée sur le mur de la pièce centrale, Chantale s'étonne du retard accusé par son fils. Il devrait déjà être à table.

— Toc toc toc, debout mon chéri, c'est l'heure du déjeuner…
Allez, Karl, cesse de jouer le bébé. Maman doit aller bosser.

Le silence l'incite à pousser la porte. Elle pénètre dans la
pièce, et découvre son fils allongé sur le lit, la mousse pleine la
bouche. Puis tel l'effet d'une eau savonneuse, les bulles se
répandent sur l'ensemble de son visage : le nez, les yeux, les
oreilles et la chevelure de Karl sont tout à coup noyés dans une
épaisse bave. Apeurée et affolée, Chantale accourt vers le
téléphone et appelle les urgences. Son unique enfant fait un
malaise. Il est inconscient et la couleur de ses yeux a changé.
Elle n'est plus d'un bleu dont la clarté rimait avec la joie d'une
enfance choyée, elle dégage à présent un brin de tristesse et
d'horreur. Les petits yeux de l'enfant sont d'un rouge si vif que
sa mère ne parvient pas à les fixer durant son transfert à l'hôpital.
Elle a pris place dans l'ambulance qui transporte son fils aux
urgences. Aidée par un bruit strident, l'ambulance se fraye un
passage dans la circulation et regagne le parking de l'hôpital plus
tôt que prévu. À l'aide d'une civière, Karl est transporté en salle
de réanimation où doivent lui être administrés les premiers soins.

Dans la salle d'attente, chapelet en main, Chantale prie tous
les saints du ciel pour que son fils ne succombe pas. En soin
intensif, Karl subit également des examens pour déterminer la
cause du mal l'ayant plongé dans le coma. Les médecins et
spécialistes les plus réputés auscultent le corps du petit enfant, y
effectuent des prélèvements, font des analyses, le passe même
au scanner, cependant le diagnostic tarde à être rendu. Le patient
Karl n'a pas encore rendu l'âme, mais les changements observés
sur lui sont inquiétants : sa peau se desquame et ses cheveux en
grand nombre s'arrachent de sa tête. Cette nouvelle
manifestation oblige les médecins à faire des analyses
supplémentaires. Parmi les nombreux médecins et spécialistes

présents, nul n'a vu pareil cas. Durant leurs longues carrières, ces éminents professeurs n'avaient pas encore été confrontés à un tel mystère. L'inqualifiable mal dont souffre le fils de Chantale oblige les professionnels de santé à s'abstenir de prescrire une quelconque ordonnance.

Pendant qu'à Bales en Suisse les médecins s'évertuent à sauver la vie d'un petit garçon, au Vatican le Pape a fini de prendre son bain matinal. Il revêt sa traditionnelle soutane blanche et son couvre-chef de couleur similaire, se parfume les épaules, se regarde dans l'impressionnant miroir plaqué sur le mur de sa chambre à coucher puis porte son crucifix. Il se dirige ensuite vers le petit coffret métallique dans lequel est conservé son anneau. Une fois le tour du coffret effectué, les doigts du Saint-Père constatent le vide. L'anneau a disparu, il n'est plus à sa place. La bague en or qui symbolise son pourvoir est introuvable. Le vieil homme a conscience que nul ne peut voler sa bague. Dans le cas présent, il n'y a plus le moindre doute, son anneau magique a disparu. En grand connaisseur des arcanes du Vatican, il déduit que le parchemin de Salomon n'est plus dans le bureau 13. Le maître du Vatican ne peut le crier sur les toits. Il ne peut se confier à son cérémoniaire ni à aucun autre de ses collaborateurs, excepté Monseigneur Stuart, gardien des arcanes du Vatican.

Comme il est de coutume ici, aucun Pape ne fait appeler le gardien des arcanes. Par respect pour le serment fait le jour de leur initiation, les Papes se déplacent toujours vers les gardiens des arcanes. Barthélemy 14 ne fera pas exception à cette règle. D'un pas moribond, il se rend dans les appartements du gardien des arcanes du Vatican. Le Saint-Père aimerait savoir quelle conduite adoptée après la disparition de son anneau. Et le gardien est le seul à pouvoir lui donner des réponses aux questions qui le turlupinent. Seul Monseigneur Stuart peut éclairer sa lanterne. Stuart est bien plus qu'un simple cardinal.

Cet octogénaire guide les premiers pas des Papes après leur élection. Il dirige le Saint-Siège dans l'ombre, c'est à lui que se réfère le Pape avant de prendre une décision majeure. Il est plus puissant qu'un Pape. Ce vieillard est un mage, un grand mage, doublé d'alchimiste. Il maîtrise tous les codes du Vatican. À lui, le Pape s'adresse tête baissée. Devant lui, le Pape n'hausse pas le ton. C'est d'un ton courtois que le maître du Vatican s'adresse au gardien des arcanes. Le Pape Barthélemy 14 ne cache pas son inquiétude devant son maître.

— Ô illustre gardien des arcanes, je suis tourmenté.

— Que se passe-t-il, mon fils ?

— Mon anneau a disparu, et sûrement le parchemin n'est plus dans le bureau 13.

— Ne t'épouvante pas, un chevalier se doit de rester valeureux.

— Comment demeurer valeureux, ô illustre gardien alors que nous avons perdu ce qui faisait notre force ?

— Le parchemin et l'anneau reviendront, mon fils.

— Entre temps, le Vatican risque de s'écrouler.

— Nous connaîtrons des turbulences, il y aura même des changements majeurs dans l'église, mais elle ne se détruira pas, pas encore.

— Je ne comprends pas un mot de ce que vous dites illustre gardien.

— C'est la première fois que disparaissent le parchemin et l'anneau. Nous n'avons droit qu'à trois échecs, passé cela la tempête nous emportera. Nous avons intérêt à ce qu'une fois le parchemin et l'anneau retrouvés, ces objets ne quittent plus jamais ce lieu.

106

— Que faire à présent ?

— Je façonnerai une imitation de l'anneau, que tu porteras pour continuer la tâche de souverain pontife. Pendant un moment, nous allons vous faire passer pour malade afin que nul ne constate la disparition de l'original.

— Merci illustre gardien.

Tels furent les mots du Pape Barthélemy 14, avant de quitter les appartements de son maître. Un homme dont l'identité n'est connue que par les Papes. Eux seuls savent qu'ils doivent leur pouvoir à une initiation secrète, guidée par le gardien des arcanes.

L'anneau a quitté le Saint-Siège pour rejoindre sa source, sans laquelle il ne deviendrait qu'un simple et banal objet. Le parchemin de Salomon et l'anneau papal sont indissociables. Les Papes s'étant succédé au Vatican le savent bien. Tous connaissaient la règle, et aucun ne l'a jamais enfreint, au risque de voir l'anneau disparaître en pleine messe dite hors du Vatican. Tous les Papes s'assuraient toujours d'emporter dans leurs bagages le globe dans lequel se cachait le parchemin... Au Saint-Siège, Barthélemy 14 n'est plus le souverain pontife. Il a perdu ce qui symbolisait son autorité et sa puissance. Il est à présent un prélat comme les autres. De peur d'apparaître dépourvu d'anneau, il fait appel à Piache son éternel et dévoué cérémoniaire et lui ordonne d'annuler toutes ses audiences.

— Est-ce que tout va bien Saint-Père ?

— Oui, juste un peu de fatigue.

— Saint-Père un chef d'État vient de faire son entrée au Vatican. Nous avons confirmé son rendez-vous il y a quelques jours, l'auriez-vous oublié ?

— Pas du tout

— Que devrais-je donc lui dire ?

— Faites-lui toutes les excuses de ma part, en lui confiant que la fatigue m'a affaibli.

— Outre ce rendez-vous, certains évêques ont répondu présents à votre appel, que devons-nous faire ?

— Je vous charge de leur dire que le berger de l'église est souffrant, et a grand besoin de repos.

— Tout sera fait selon votre bon vouloir ô très Saint-Père.

C'est en ces mots que Monseigneur Piache quitte les appartements privés du Pape. En le voyant arriver, les évêques rassemblés dans une salle se levèrent spontanément. Ils savent que ses pas précèdent toujours ceux du pape. Hélas, cette fois fait exception.

— Veuillez-vous rasseoir frères en Christ. Le Saint-Père est depuis ce matin victime d'un malaise.

— Que se passe-t-il ?

— Rien de bien grave.

— Nous lui souhaitons bon rétablissement.

En sa qualité de cérémoniaire, Piache informe les visiteurs du Vatican de l'indisponibilité de son maître et s'en excuse auprès de chacun d'eux. L'attaché de presse du Vatican est également informé de la situation. C'est à lui que revient la tâche d'informer l'opinion publique sur les événements se déroulant au Saint-Siège. L'homme est assailli par les journalistes. Les questions fusent de toute part. Le pauvre ne sait plus quoi dire. De peur de paraître ridicule, il lui revient sans cesse la même phrase « le Saint-Père est juste un peu fatigué, mais rassurez-vous, il se remettra très vite. » L'agent du MI6 transformé en cardinal aimerait s'enquérir des nouvelles. Il va directement à la source, dans le bureau du cérémoniaire avec lequel il s'efforce de nouer des liens étroits. Cette fois, il ne jouera pas les espions, il va droit au but, sans faire de détours avant de poser la question.

— À quoi est dû ce silence du Saint-Père ?

— Il a décidé de prendre quelques jours de repos, rien de grave.

— Je m'inquiète comme l'ensemble du personnel de la maison.

— Soyez sans crainte, il sera sur pieds dans les jours à venir.

Pendant que l'on se soucie de la santé Barthélemy 14, à Talla l'ambiance est plus festive. Les chrétiens s'apprêtent à vivre le sacre de Kouadio comme évêque. La ville de Talla est en ébullition, les manifestations s'organisent ci et là. Les couturiers sont à pied d'œuvre pour satisfaire les clients désireux de se vêtir du tissu à l'effigie du nouvel évêque. La parole de Talla a fait l'objet d'un réaménagement. Un espace a été apprêté pour abriter la messe du dimanche. La cathédrale de Talla est trop étroite, elle ne peut contenir les fidèles de la ville et ceux des villages environnants. Afin que l'événement se déroule dans de bonnes conditions, il a été aménagé un impressionnant hangar, à même de satisfaire les fidèles et les curieux. Cette fois, les chrétiens de Kandouraba ont été invités. Une petite délégation dont le chef Zabouto et Fanta font partie, est arrivée à Talla des jours plus tôt. Kouadio a tenu à ce que la chorale du village, cher à son cœur, anime son sacre aux côtés de nombreuses autres. Les répétitions se font chaque soir, et ce depuis une semaine, afin qu'aucune fausse note ne vienne gâcher la fête. La ville de Talla n'a jamais été aussi enthousiaste. Sur les visages des habitants, l'on peut lire la joie et la gaieté. L'arrivée du nonce apostolique a ravivé en chacun la fierté d'être natif ou résident de Talla. Le nom de Kouadio est sur toutes les lèvres. Grâce à ce jeune prêtre, Talla a le privilège et le grand honneur de recevoir l'envoyé du Pape. La paroisse et la ville entière vibrent. Il n'est pas un carrefour, une rue, une ruelle où l'on ne voit une affiche à l'effigie de Kouadio.

Après une fatigante journée, rythmée par les préparatifs du sacre de son évêque, la ville s'endort. Le calme et la profondeur de la nuit bercent ses habitants, qui ont hâte de voir se lever le soleil, pour assister à la grande messe. Kouadio par contre ne parvient pas à sommeiller. L'ampoule électrique de sa chambre n'est pas éteinte. Sa chambre est la seule à encore être illuminée à cette heure tardive de la nuit. Chacun a pris soin de vite s'endormir, pour assurer à son corps la vitalité nécessaire pour la fête du lendemain. Kouadio aurait aimé s'endormir aussi aisément, n'eût été les troublantes pensées qui le retiennent en éveil. Il s'interroge sur la manière dont il s'y prendra pour mener à bien sa nouvelle tâche.

Le jeune prêtre se tourne et se retourne ses méninges. Il ne peut s'endormir sans imaginer le lendemain. Le film de la journée au cours de laquelle son statut changera défile dans son esprit. Au moindre bruit, il sursaute, jette un coup d'œil sur la montre, en espérant être au petit matin. Les heures semblent traîner, la nuit paraît plus longue. Malgré un sommeil moins profond, qu'à l'accoutumée, le jeune prêtre s'endort.

— Toc toc toc debout Monseigneur, il est l'heure.

Kouadio se lève et se dirige vers la salle de bain. Quelques minutes plus tard, il est dans la sacristie, le corps recouvert d'une chasuble jaune. Il est au deuxième rang de la file de prêtes et d'évêques dont la procession débutée à la sacristie, s'achève sur l'autel, sous le hangar apprêté pour la messe. L'on ne peut dénombrer les fidèles et les curieux venus assister à l'événement. La foule immense massée sur la colline de Talla est plus venue acclamer et ovationner le futur évêque qu'assister à la messe. L'on est loin du moment du sacre, déjà les personnes

110

présentes agitent les foulards et les banderoles à l'image de Kouadio. La messe a débuté sous les chants de la chorale de Kandouraba, dont l'honneur est revenu d'ouvrir le bal œcuménique. Dans le parterre d'invités, d'amis et membres de la famille, un hôte est différent des autres. Son étiquette est autre, son statut ambigu. Pour certains, elle est une fidèle parmi tant d'autres, pour d'autres, elle fait partie du conseil paroissial, et pour celui à l'honneur, la jeune femme concernée est sa bien-aimée. L'élégante et charmante fille au sourire ravageur dont le tissu à l'effigie de Kouadio va comme une paire de gants n'est autre que Fanta, l'irrésistible danseuse de Kandouraba. Discrète mais coquette, elle est au premier rang aux côtés des autorités de Talla et autres invités de marque. Elle n'a rien perdu de sa beauté. Et paraît même bien plus raffinée.

Après un moment arriva le moment attendu. Le jeune prêtre se fit remettre la crosse, l'anneau, et la mitre se posa sur sa tête. La foule se leva et accompagna les premiers pas de l'évêque par des applaudissements. Talla change de statut, de simple paroisse, elle devient un diocèse. Quelle chance ! Quelle bénédiction ! Quelle grâce pour ce petit département, de devenir en si peu un lieu de référence de la foi chrétienne ! Les chants de louanges sont entonnés par les fidèles. Les uns et les autres remercient le Tout-Puissant d'avoir choisi leur fils parmi tant d'autres.

À la fin de la célébration eucharistique, il fut donné à Monseigneur Kouadio de donner la bénédiction finale. Le nouvel évêque le fit avec sérieux et concentration. « Que Dieu Tout-Puissant vous bénisse, le Père, le Fils et le Saint-Esprit. » Le « amen » de la foule résonna si fort qu'il fut perçu à des kilomètres à la ronde. La messe est terminée, place au festin.

Sous les tentes et sous les arbres, les invités se gavent de cuisses de poulet. Les dents plus solides mâchent et mastiquent même les os les plus durs. De pareilles occasions sont rares, il faut en profiter. Les hommes et les femmes, dont la viande de bœuf ne passe sous les dents qu'une fois l'an, ont déjà effectué plus d'un tour devant les servantes. La fête est belle et grandiose pour les gourmands et gloutons qui mangent de tout. Un bâton de manioc peut aussi bien être trempé dans une sauce tomate, qu'un bout de pain, ou une tranche de gâteau au chocolat. Certains invités ne se contentent plus de boire le vin tiré des troncs de palmiers, ils s'acharnent sur ceux venus d'Orient et d'Occident. Le nouvel évêque qui fut il y a peu l'objet de toutes les attentions est relégué au second rang, déclassé par la variété de mets et boissons.

La joie est contagieuse à Talla, mais à des milliers de kilomètres, à Bales en Suisse, une femme est triste, chagrinée par le mystérieux mal qui ronge son fils. Chantale a fait le tour des cliniques et hôpitaux, les résultats sont les mêmes. Le patient Karl présente des anomalies. Son mal est méconnu de la médecine moderne. Son mal relève du paranormal, constatera un éminent professeur. De nombreux amis et proches de la famille sont du même avis. Chantale doit focaliser ses recherches vers le domaine de la parapsychologie, ce qu'elle fait sans résultat. L'enfant demeure dans un coma profond. Après de nombreuses tentatives sans suite favorable, il est suggéré à Chantale d'emmener son malade en Afrique.

Là-bas, lui dit-on, les hommes ont des capacités extrasensorielles. Ils peuvent aussi bien se déplacer en voiture que sur les libellules. Ils se nourrissent aussi bien de la viande de vipère que de la chair humaine. Ces peuples-là sont des cannibales mais des marabouts capables de guérir son fils. Ces indigènes font des miracles et quelquefois vendent des mirages. Capables du meilleur comme du pire, ces grands connaisseurs de la brousse et de ses secrets, fascinent par leurs prodiges et déçoivent par leur manque de franchise. Ces guérisseurs traditionnels, devenus charlatans à cause de l'appât du gain, soignent de nombreuses maladies et sont impuissants devant beaucoup d'autres.

Avant de quitter la Suisse, Chantale s'est vu expliquer les règles du monde des marabouts africains. Elle a conscience que la probabilité de rencontrer un réel marabout avec de réels pouvoirs est aussi grande que celle d'avoir en face un escroc. Elle a été conseillée de façon à avoir une attitude qui l'éviterait de tomber dans les pièges de vendeurs d'illusions.

C'est en personne avertie qu'elle foule pour la première fois le sol africain. Elle est arrivée à bord d'un avion spécialement affrété pour faciliter l'évacuation de Karl toujours dans le coma. Le cas désespéré du petit enfant a ému un banquier suisse, qui n'a pas hésité à tout prendre en charge. En Afrique, Chantale est en terre étrangère et inconnue. Les services d'un guide lui sont conseillés, afin qu'elle jouisse de son expertise et de sa protection. Elle et son fils malade ne passeront pas leur première nuit dans cette capitale africaine. Ils prennent la route d'un petit village situé à dix heures de l'aéroport. Guidés par Abanda, la jeune femme, son fils et le chauffeur se sont lancés sur la voie depuis plus d'une heure. Il reste encore du chemin à parcourir. Les kilomètres restants avant d'atteindre le village des féticheurs se comptent par centaine. La route est encore longue. Chantale ne peut supporter un si long voyage. Elle s'endort aux côtés de son fils dont le sommeil dure depuis des semaines. Cette amoureuse de la nature aurait été émerveillée en voyant autant de beaux sites, dont les paysages font rêver. Quittés la capitale à trois heures de l'après-midi, ils arrivent au village des féticheurs, à une heure après minuit.

Ici, les villageois sont courtois et accueillants. Leur bienveillance envers les visiteurs et les étrangers laisse la suissesse sans mot. Elle découvre l'hospitalité et la générosité africaine. Elle s'attendait à tout, excepté à un accueil aussi chaleureux, surtout à une heure aussi avancée de la nuit. Elle découvre un autre monde et mode de vie, où les hommes ne sont pas aussi indifférents et froids qu'en Occident. La chaleur africaine dont elle se faisait conter est à présent une réalité. Elle et son fils ont été pris en charge dès leur arrivée dans le village. À elle, Abanda et le chauffeur, il a été donné des calebasses remplies d'eau en guise de bienvenue. Karl a été déposé sur une natte, dans la case devant laquelle est posté un énorme fétiche.

Cette nuit, il sera proposé aux visiteurs de la viande boucanée d'antilope et des tubercules de manioc grillés. Ils déclineront l'offre avec gentillesse de façon à ne pas heurter les villageois. Les premiers contacts entre les citadins et les villageois sont excellents. Les premiers sont conduits dans la case réservée aux visiteurs, où sur les nattes, ils passeront la nuit. L'expérience sera insupportable pour Chantal. Sa première nuit en sol africain est éprouvante et épouvantable. Elle s'efforce comme elle peut pour chasser et tuer les moustiques, seulement ils n'abandonnent pas. Ils paraissent encore plus nombreux et déterminés à goûter au sang d'une blanche. Lassée de se battre contre une armée de moustiques, elle se laissa à la fois attaquer et bercer par leur hymne. Au premier chant du coq, bien avant que les femmes munies des corbeilles ne prennent la route des champs, elle était debout, profitant de la fraîcheur matinale qui caresse sa peau rougie par les piqûres des insectes. Le jour s'est levé sur le village. La jeune femme a enfin une idée de l'endroit où elle a débarqué la nuit.

Le village des féticheurs a la particularité de n'avoir que cinq cases, plantées au milieu d'une multitude de fétiches. Les mottes de terre aux allures de petites collines ont au-dessus d'elles de grandes calebasses remplies d'huile rouge. Les tas de fer dont le nombre est de loin supérieur à celui des habitants du village sont ornés de crânes d'animaux. Le village des féticheurs est le berceau des pratiques ancestrales bantou. C'est ici qu'a débuté le culte des esprits protecteurs, celui des divinités de tout genre et des morts. C'est dans ce village que l'on s'initie au fétichisme, à la sorcellerie, et au voyage de l'au-delà. Sur les portes des cinq cases sont accrochés des masques maculés de sang. La grosseur de ces masques varie selon qu'il s'agit de la case du grand féticheur ou celle des chasseurs. Au village des féticheurs, l'herbe et le feuillage sont aussi verts qu'ailleurs ; toutefois, les troncs d'arbres sont entourés d'étoffes au couleur rouge, noir et blanc, les seules couleurs que les Bantous nomment sans avoir à se référer aux choses. La suissesse l'avouera plus tard, si elle avait toute seule fait le déplacement toute seule, elle n'aurait jamais tenu une seconde dans ce village. Heureusement qu'elle est encadrée par un guide protecteur. Abanda a l'habitude de conduire les étrangers dans les lieux plus étranges que celui-ci. De plus, il parle la même langue que les habitants de ce sinistre village. Cet aspect facilitera la tâche à Chantale pour communiquer avec le grand féticheur.

Le chauffeur est tenu de rester sous les arbres, pendant que la suissesse et Abanda pénètrent dans la case du maître des lieux. L'homme est aussi étrange que son village. Outre le point commun avec la blanche, le grand féticheur est bossu et son nom méconnu des habitants du village. Avec une peau dépourvue de mélanine, cet albinos se fait appeler « Bon blanc ». Assis sur une peau asséchée de serpent boa, le féticheur fait signe à ses invités de prendre place en face de lui. L'enfant est aussi emmené par deux hommes venus apprendre le langage des oracles. Chantale voulut prendre la parole, la main d'Abanda l'en dissuada. Dans la tradition Bantoue, la femme ne peut prendre la parole en premier. À l'aide d'une cloche, le féticheur cogne une pierre. Il invoque les esprits, afin qu'ils l'assistent dans la voyance. Après avoir à maintes reprises tapé sur la pierre qui ne s'est pas fendillée, le féticheur la plaque à son oreille tel un téléphone portable. « Bon blanc » est en liaison directe avec l'au-delà. Il communique avec les morts, à qui il demande des réponses sur la maladie du garçon étalé devant lui. Dès que la pierre quitte sa main, il esquisse un sourire et souhaite la bienvenue à ses invités.

— L'enfant que voici a vu le mal. Ses yeux ont contemplé le malin, il a osé défier l'esprit qui gouverne la terre, il mérite de descendre sous terre.

— Pitié grand féticheur, s'agenouilla Abanda face contre terre.

La suissesse ne comprend pas un mot de ce qui se dit. Une fois la traduction faite, elle se jette contre le bossu qui l'ordonne aussitôt de regagner sa place.

— Abanda, dites-lui que ce garçon n'a que sept ans, il n'a rien fait de mal.

Le grand féticheur répliqua.

— Pour a-t-il donc osé regarder l'esprit qui régit le monde ?

— C'est mon fils, il n'a rien avoir avec les démons, je vous en prie, ne lui faites pas de mal.

Après la plaidoirie, le grand féticheur se lève, ouvre les paupières fermées de Karl, écarquille ses yeux, reste penché sur lui des minutes durant.

— Ah Ah Ah, j'ai ramené ton fils du séjour des morts, il est vivant, je suis le plus puissant des féticheurs. À moi a été léguée la connaissance, la véritable connaissance ah ah ah. Allez me cueillir des feuilles où se couche le serpent boa et emplissez d'eau le grand mortier, je vais laver l'enfant.

Les deux apprentis sorciers s'exécutent, et au bout d'un moment Karl se retrouve dans un impressionnant mortier, l'eau et les feuilles plein le corps. Après ce lavage, il est demandé à sa mère et à ceux qui l'accompagnent, de quitter le village avant la tombée de la nuit. Sur le chemin du retour, Chantale interpelle son guide.

— Pensez-vous que mon fils guérira ?

— Il est déjà guéri madame, n'ayez crainte.

— J'avais réservé de l'argent pour le marabout, mais il ne m'a rien demandé.

— Il ne prend l'argent qu'une fois le client satisfait.

— Ah bon ?

— Si. Il m'a également chargé de vous dire qu'une fois l'enfant rétabli, vous devez lui offrir un pickup.

— Pas de soucis, se sera fait dès que Karl sera sur pieds.

— Aussi, m'a-t-il demandé de vous rappeler de donner en sacrifice les habits de l'enfant.

— Je ne comprends pas.

— Avez-vous amené une valise contenant les vêtements de Karl ?

— Oui

— Très bien, c'est elle que vous donnerez au premier passant.

— OK pourvu que mon fils guérisse.

Une fois en ville, Chantale se repose et repart pour l'Europe en compagnie de son enfant. Avant de quitter l'Afrique, elle a pris soin de payer son guide et le chauffeur. Elle a également donné en sacrifice la valise de Karl. Huit heures après, les voici en Suisse. Chantale prend la direction de son petit chalet de

Bales. Le lendemain, à son grand étonnement, Karl ouvre les yeux, bouge les doigts et se lève spontanément de son lit. On dirait que le petit garçon vient de s'alléger d'un embarrassant et lourd fardeau. Une semaine plus tard, il va à nouveau à l'école et à la messe. Il ne se souvient pas de ce qui lui est arrivé. Sa mère par contre se souvient de tout, et surtout de l'albinos sans lequel son fils serait toujours dans le coma. Chantale a tenu sa promesse en envoyant au féticheur l'argent nécessaire pour l'achat d'un pickup. La jeune femme, pourtant cartésienne et chrétienne, n'a désormais sur les lèvres que l'Afrique et ses grands marabouts. C'est un miracle, Karl est guéri, mange, boit, court et rit à nouveau. Le moment où il a sombré dans le coma lui échappe. Malgré cela, le souvenir de son gros ballon ne l'a pas quitté. Face à son insistance de retrouver son jouet préféré, sa mère finit par lui acheter un globe similaire à celui ramené du Vatican. La vie a repris son cours à Bales.

Au Vatican, les choses sont confuses. Par peur d'éveiller les soupçons des cardinaux et des chrétiens catholiques à travers le monde, Barthélemy 14 s'est fait fabriquer une réplique de son anneau magique. Ce Pape a perdu de sa notoriété : aucun homme aussi petit soit-il ne fait plus de courbette devant lui. Personne y compris les cardinaux ne baise plus son anneau. Le Pape a perdu ce qui lui donnait le pouvoir. Barthélemy 14 n'a plus que le titre de Pape. Dans son état, ses sujets s'adressent désormais à lui avec désinvolture. Le Saint-Père n'a plus la même aura, il n'est plus aussi craint et vénéré comme par le passé, il est devenu un serviteur de Dieu comme les autres. Au Saint-Siège, l'on assiste pour la première fois de l'histoire à des manifestations contre son autorité. Les manifestants ne sont autres que les prêtres et les cardinaux, réclamant une transparence dans la gestion des affaires de l'église.

Quelques jours plus tard, la grogne gagne la corporation des gardes suisses qui revendiquent un meilleur traitement et une augmentation de salaire. Barthélemy 14 n'a plus aucun soutien, même son cérémoniaire a retourné sa soutane. Monseigneur Piache n'obéit plus à son maître. Il agit désormais selon son propre chef. Les serviteurs du Pape se révoltent et contestent son autorité, excepté le Cardinal Perol. Il est à l'opposé des autres qui vivaient sous l'emprise du parchemin de Salomon. Les employés du Vatican en ont assez des salaires de catéchistes. Tous demandent une augmentation significative. Le Saint-Père, conseillé par celui qu'il croit être le Cardinal Perol, décide de puiser dans les caisses du Vatican pour satisfaire aux demandes des manifestants. Le Pape est dos au mur. Sa marge de manœuvre est de plus en plus réduite. Ayant perdu la main dans le lieu où il régnait en maître absolu, il n'est plus que l'ombre de lui-même. Son autorité est remise en question, elle est même bafouée par ses sujets. Le Saint-Père vit des heures difficiles et ne dicte plus sa loi. Le roi de l'église est vilipendé de toute part. L'homme de Dieu se sent abandonné. Le secours ne lui viendra pas des cieux, son seul réconfort lui viendra de son maître, le gardien des arcanes du Vatican. Barthélemy 14 se rabat sur Monseigneur Stuart qui lui demande de prendre courage face à l'épreuve. La vie du Pape au Vatican a tourné au cauchemar. Le représentant de Pierre en fait toutes les nuits depuis la disparition de son anneau magique. Son sommeil est saccadé, ses nuits sont de plus en plus troublées. L'homme à la soutane blanche broie du noir. Son horizon est obscur, il se fait des idées noires sur l'avenir de l'église. Le patron de l'Église catholique romaine a peur, il a la trouille, on dirait qu'il est dans un trou noir.

Le Vatican connaît une accalmie de trois mois, passé ce temps, les manifestations reprennent. Il est exigé au Pape de modifier les lois de l'église. Les cardinaux et les évêques lui adressent une lettre ouverte, lui demandant de revoir certaines lignes du droit canon. Il promet d'étudier cette demande au plus vite. À peine se penche-t-il sur la question qu'une grève paralyse le Vatican tout entier. L'état du Vatican est incapable d'assurer à ses citoyens un train de vie aussi dispendieux depuis l'augmentation des salaires. Le Vatican est en déclin, la déchéance de son maître est souhaitée par la majorité des prélats. Le Saint-Siège et la sainte église de Dieu tremblent, secoués par de violentes manifestations qui tournent en émeutes. Prêtres, Évêques et cardinaux se cognent à coups de poings et de crucifix. Certains prélats sont déchaînés au point de vouloir s'attaquer physiquement au Pape qui se réfugia dans la sépulture de Pierre. L'homme y passera la nuit en compagnie du Cardinal Perol, qui lui suggère de coopérer, s'il veut retrouver sa place de leader religieux.

— Cardinal Perol je ne te reconnais plus.

— Moi non plus Saint-Père, je ne te savais pas capable de te cacher dans ta maison.

— Cardinal Perol, bien des choses ont changé ici. Que me proposes-tu ?

— Une entière collaboration avec le MI6 te sera salutaire.

— Comment devrais-je procéder ?

— Permets-moi d'appeler, je te donnerai ensuite la ligne à suivre.

Après un long échange avec Sir Smith, les agents supplémentaires investissent le Vatican. Ils ont pour mission d'appréhender Monseigneur Piache. Une fois dans les locaux du Saint-Siège, ils profitent du chaos pour arrêter le chef des émeutiers.

— Qui êtes-vous et que voulez-vous ? demande le cérémoniaire du Pape.

— Nous sommes des agents de la CIA, vous êtes aux arrêts.

— C'est une plaisanterie j'espère.

— Vous pensez, avec autant de charges contre vous ?

— De quelles charges faites-vous allusion ? Je suis blanc comme neige, je n'ai rien à me reprocher.

— Asseyez-vous Monseigneur.

L'évêque ne peut tenir tête à trois costauds agents, il obtempère. Les hommes lui montrent ses photos en compagnie d'Alberta. Monseigneur Piache écoute à nouveau ses conversations nocturnes avec la jeune femme, ainsi que les paroles obscènes qu'il prononçait. Lui sont également retracés tous les transferts illégaux effectués depuis les comptes du Vatican vers les comptes de sa concubine.

— Qu'avez-vous à dire Monseigneur ?

L'évêque baisse la tête, il vient d'être confondu, les preuves l'accablent, il ne peut que se plier aux exigences des trois hommes

— Que dois-je faire à présent Messieurs ?

— Vous devez ramener les millions volés, afin que soient payés les salaires des employés du Vatican.

— À vos ordres, Messieurs.

— Appelez immédiatement vos banquiers.

Après des entretiens avec des banquiers véreux, le cérémoniaire appelle au calme. Il demande à tous les prêtres et cardinaux de retrouver leur sérénité. En sa qualité de chef des émeutiers, il ordonne à chacun de rejoindre ses bureaux et appartements. Le Pape refait surface après 24 heures passées sous les caches souterraines du Vatican. Le Vatican retrouve sa sérénité au prix de sa liberté et sa souveraineté. L'institution est dorénavant financée et contrôlée par la franc-maçonnerie, qui par le biais du MI6 a mis fin au soulèvement. Le Pape Barthélemy 14 est fragilisé et ne prend désormais aucune décision sans l'aval de Sir Smith. La franc-maçonnerie n'a pas assis le nouvel ordre mondial, mais se contente de contrôler le Vatican. À l'aide de ses fonds faramineux, elle paie les factures et les salaires, en retour lui revient la sécurité des lieux. Outre cette exigence, Barthélemy 14 a permis la transformation de la chapelle Nicoline en temple maçonnique. Les truelles, les compas et les équerres font désormais partie des objets à usage au Vatican. Pendant que sont dites les messes dans une chapelle, dans l'autre, s'effectuent des rites maçonniques.

Au moment où le Vatican est en déclin, la paroisse de Talla est en plein essor. La petite ville s'est transformée et a désormais les allures de Singapour, vu le nombre d'immeubles et de gratte-ciels qui y poussent. La ville de Talla est enviée de tous. Elle est le miracle de la région des Hauts-Plateaux, le nouvel Eldorado dans lequel chacun rêve vivre. Les beaux édifices attirent de plus en plus. La cité est devenue le carrefour des hommes d'affaires, le lieu le plus prisé par les investisseurs lassés des tracasseries de la vieille Europe. La forte croissance économique de la ville a entraîné le développement des villages environnants, y compris celui de Kandouraba. Les maisons en terre cuite ont été remplacées par celles en briques. Les quêtes du dimanche sont de plus en plus consistantes ainsi que les dons en nature et en espèces. Kouadio est désormais à la tête d'une fortune, au point de venir en aide à de nombreux autres diocèses. Sa renommée s'est étendue au-delà de sa région natale. Le nom du jeune évêque est dans toutes les conversations, même dans les couloirs du Vatican, où il a déjà effectué plus d'une visite.

Quand il fut décidé à nommer un cardinal de plus en Afrique, son nom vint en premier. Le Pape Barthélemy 14 et ses proches ont choisi Monseigneur Kouadio comme futur cardinal. Il ne reste qu'à Sir Smith de donner son accord. C'est ainsi que lui parviendra le dossier complet du jeune évêque, avec des détails sur son parcours et la position prédominante de son diocèse.

Le grand-maître trouve assez intéressant le profil du jeune évêque. En homme cupide, il entreprend déjà avoir une main mise sur les ressources de sa ville. Sir Smith est calculateur et frileux. Beaucoup plus par stratégie que par conviction religieuse, il approuvera le sacre de Kouadio. La nouvelle fut aussitôt publiée par radio Vatican.

À Talla comme à Kandouraba, l'on est comblé. Kouadio a gravi la dernière marche, l'ultime grade pour un prélat d'Afrique noire. Il sera cardinal, le sommet pour un homme de couleur, l'apothéose pour un prêtre au nez épaté et aux cheveux crépus. Il est aux anges, et remercie le ciel d'avoir permis à son rêve de se réaliser. Il se fera désormais appeler son éminence, unique grand titre auquel ne peuvent prétendre les prélats africains.

Kouadio ne pouvait espérer mieux. Être cardinal n'est pas donné. Ces hauts dignitaires religieux ne courent pas les rues. Ce n'est qu'au bout des doigts qu'on dénombre les cardinaux d'Afrique noire. La plupart des pasteurs à la peau bronzée et noircie par le soleil sont bons à obéir et à servir. Rêver être à la tête de la sainte église dont ils sont au service depuis plus d'un siècle n'est pas envisagé. Ils se sont faits à l'idée qu'ils n'en ont pas le mérite et la grâce. À l'instar de la majorité des prélats africains, Kouadio n'a pas d'ambition démesurée. L'idée de prendre la tête du Vatican n'a jamais effleuré son esprit. Il sait que ce n'est point réalisable. Un noir à la tête de l'Église catholique romaine relèverait du miracle. Il le sait, la papauté d'un noir n'a jamais été évoquée dans les films, les livres, même pas dans les contes. Il y a de quoi nourrir en lui un fort afro pessimisme ! Les prélats noirs n'ont que faire de s'asseoir et dîner sur la table papale. Ils sont à leur aise en dessous, où en serviteurs dociles, ils recueillent les miettes de pain. Kouadio a trouvé cette tradition qui fait du Pape un démiurge. Il ne peut que suivre le chemin tracé par ses prédécesseurs, au risque de se voir traiter de tous les maux. Être cardinal pour lui est plus un soulagement qu'un accomplissement : il ne fera plus le porte-à-porte, n'ira plus de village en village pour prêcher l'évangile. Les prêtres et les évêques se chargeront de cette fatigante besogne.

Le jeune évêque se prépare à nouveau à fouler le sol du Vatican. Cette fois ne sera pas comme les précédentes. Il s'y rend pour recevoir du Pape en personne l'onction de cardinal. C'est une victoire de plus pour ce prêtre dont la fulgurante ascension fait des heureux, et des aigris parmi ses frères en Christ. Son brillant parcours et sa renommée sont une fierté pour sa ville natale. Les autorités de Talla décident de lui rendent hommage en construisant un monument à son image. Le centre-ville est choisi à l'unanimité par le conseil municipal. Le monument doit être vu par tous ceux qui passent par là. Après des souhaits de bon voyage prononcés par les chefs coutumiers, l'évêque et son chauffeur prennent la route.

Kouadio a quitté sa ville natale, et s'en est allé, loin de son diocèse et de la région des Hauts-Plateaux. Il se trouve à présent dans les airs, dans les cieux, emporté par les ailes d'un avion. Après des kilomètres parcourus et des heures passées dans le ciel, l'avion de ligne redescend sur terre. Au Saint-Siège, le calme et la sérénité sont revenus après des jours tumultueux. Le Vatican n'est plus fréquenté. Les pèlerins du monde ne s'y bousculent plus, sa basilique est désormais perçue comme une tout autre. Les yeux des chrétiens catholiques se sont détournés de la place Saint-Pierre. Arrivé au Vatican, Monseigneur Kouadio ne reconnaît pas le lieu mythique où affluaient de nombreux visiteurs. L'esplanade de la place Saint-Pierre est vide, seuls quelques moines déambulent continuellement sur les lieux. Les salles de culte sont de moins en moins remplies. Au Vatican, Kouadio découvre un Pape moribond. L'évêque de Talla échange avec celui de Rome comme avec un tout autre prélat. Depuis que la disparition du parchemin a entraîné celle de son anneau magique, le Pape n'est plus adulé et vénéré. Descendu de son piédestal, il a perdu son pouvoir pour devenir un serviteur de Dieu ordinaire. Malgré tout, il fera de Kouadio un cardinal.

À Londres, au siège du MI6, l'on suit de près ce qui se trame au Vatican et à Talla. Malgré l'échec de l'opération « *Colombe blanche* », le directeur n'a pas ordonné l'arrêt des filatures et des écoutes, dans l'espoir de retrouver la trace du parchemin disparu. Les images du petit Karl et sa mère font toujours l'objet d'analyses, de façon à déterminer leur nationalité et lieu de résidence. La franc-maçonnerie par la voie de son plus haut responsable ne lâche pas du lest. Le parchemin doit être retrouvé et remis à ses ayants droit.

— Monsieur White, avez-vous déjà une idée sur l'identité du garçonnet et de la femme ?

— Nos recherches n'en sont pas loin monsieur.

— Ça traîne.

— Ces deux personnes ne sont fichées nulle part. Retrouver leur trace n'est pas facile, néanmoins nos plus grands analystes s'y efforcent.

— Autre chose, ne perdez pas de vue le prélat africain qui vient d'être fait cardinal.

— Nos hommes sont déjà déployés dans sa ville natale.

— Très bien agent White, très bien. Ta capacité d'anticipation fait de toi la pièce maîtresse du MI6.

— Merci de votre confiance sans cesse renouvelée.

L'ordre maçonnique et son bras armé ont certes perdu la bataille, la guerre reste tout de même à leur portée. Les agents impliqués dans l'opération « *Colombe blanche* » restent actifs pour la plupart. Le chef de file en la personne de Cooper est toujours au Vatican, où de chevalier rose-croix, il s'est métamorphosé en cardinal Perol. À Varsovie, Coll et Margaret veillent sur le véritable cardinal et sa famille. Dans les rues de Talla et de Rome, certains agents du MI6 récoltent des informations. L'opération « *Colombe blanche* » a certes perdu des ailes, mais n'empêche que la colombe continue de voler, à la recherche et à la collecte d'indices.

Un oiseau de couleur similaire à la colombe blanche s'est déjà lancé dans les airs. Il vole plus haut qu'une Colombe, et avance à une vitesse plus grande, à cause de ses puissants réacteurs. Le mastodonte des airs glisse sur les nuages et ses envergures semblent balayer toute l'étendue du ciel. Le plus gros des avions de ligne vole, et à son bord une centaine de passagers. Le développement de la région des Hauts-Plateaux a valu à Talla de se doter d'un aéroport international et d'un hub des plus luxueux. L'écart de développement entre Talla et les autres cités africaines est si grand qu'il paraît insurmontable. Talla a pris un tel envol, que seule une ville se développant à la vitesse du son pourrait la rattraper.

L'Airbus ne se déplace pas à une vitesse supersonique, mais il a fini par atterrir. De son habitacle, sortent des centaines de passagers parmi lesquels le nouveau cardinal. Ce grand dignitaire religieux et fils de Talla regagne son terroir avec joie. D'un geste de la main, il bénit les fidèles venus nombreux lui souhaiter la bienvenue. L'enfant prodige est de retour sur les terres de ses aïeux, après un bref séjour à l'étranger.

Pendant que la santé économique de Talla est excellente, celle du Pape Barthélemy 14 bat de l'aile. Les ailes de la « *Colombe blanche* » ont emporté au loin la crédibilité du Pape, et affaibli ses fonctions vitales. L'évêque de Rome est malade, comme l'institution dont il a la charge. Le vieil homme souffre d'une fièvre aiguë.

Son corps, habitué à s'enivrer de vin, est devenu familier des bouts de métaux pointus, qui à répétition perforent sa peau ; sur laquelle apparaissent de nombreux boutons qui s'enflent jour après jour. Cloué sur son lit de malade, il ne sort plus de sa chambre, n'accorde plus aucune audience. Des semaines se sont écoulées, sans que ne soit entendue sa voix lors des homélies. Des dimanches sont passés sans qu'il ne célèbre aucune sainte messe. Dans son lit de malade, il attend son heure pour tirer sa révérence. Les médecins sont formels, rien ne peut être fait pour le sauver. Les traitements les plus avancés lui sont administrés, sans effet. Son état de santé se dégrade. L'homme de Dieu souffre tellement, que ni la lecture du bréviaire, encore moins la prière du rosaire ne parvient à le soulager. Au Vatican, les cardinaux souhaitent que Barthélemy 14 s'éteigne au plus vite pour lui succéder.

Les prières dites par eux ne sont que du bout des lèvres. Tous aimeraient une mort subite du Pape. Bien que n'étant pas agonisant, la campagne des cardinaux électeurs bat son plein. Les tractations se font au Saint-Siège et en dehors, où les mérites des uns et des autres sont vantés. Kouadio fait partie des cardinaux électeurs, mais en tant que noir, il ne rêve pas devenir Pape. Ce titre ne convient pas aux hommes comme lui. Ils n'en sont dignes, leur couleur de peau n'est pas la même que celle de la soutane papale. Le cardinal de Talla n'a jamais douté que la papauté soit l'affaire des hommes à la peau blanche ; et ne voudrait en aucun cas usurper un titre qui n'est pas le sien. Bien que des voix disent de lui le digne successeur de Barthélemy 14, il n'y attache guère d'importance. Pour lui, vouloir succéder au Pape bien que mourant, serait faire preuve de traîtrise, contraire à sa prêtrise placée plus sous le signe de l'honnêteté, que de la chasteté ! En bon bantou, il souhaite à son Pape une prompte guérison. Le cardinal de Talla est reconnaissant envers le Pape de l'avoir fait cardinal. En plus de la gratitude, il se souvient des saintes Écritures stipulant que Dieu ne souhaite pas la mort du pécheur. Vouloir la mort d'un individu n'est donc pas recommandé, surtout que ce dernier est saint. En bon chrétien, il sait que vouloir la mort d'un saint homme, à peine à trois coudées du saint des saints, pourrait lui valoir de s'asseoir à la droite de Satan en enfer. Le cardinal de Talla ne veut point commettre un sacrilège, qui tel un ouragan viendrait balayer le travail pastoral de toute une vie. Manger, chanter et danser aux côtés du Christ au paradis est son objectif final. Il veut vivre éternellement, et souhaite pareillement à son chef.

À Talla comme partout dans le monde, la question de la santé du Pape est à l'ordre du jour. Les chrétiens du monde s'inquiètent et prient le Tout-Puissant de préserver sa vie. Les prières se font, les injections aussi, mais sa santé ne s'améliore guère. Le supplice qu'il endure n'est pas comparable à celui du Christ, néanmoins cette coupe aurait mieux fait d'être versée sur les corps des renégats que sur celui d'un homme de foi ! Sur son long et pénible chemin de croix, Jésus reçut une aide,

Barthélemy 14 n'a pas cette chance. Il est tout seul face à la maladie et la souffrance, seul face à son destin en attendant qu'il s'accomplisse.

Le Pape attend son heure, celle à laquelle il sera rappelé à son créateur, pour rendre compte de son œuvre sur terre. Le maître du Vatican est méconnaissable ; tellement les boutons l'ont envahi. Au Vatican, la tristesse mine les visages, la pitié aussi, telle que scandée par les choristes. *Kyries eleis son, christ eleis son*. Que le Christ ait pitié de l'âme de son serviteur qui s'apprête à quitter son corps. Le Pape est agonisant, l'heure de la mort est imminente, la fin est proche ! L'électrocardiogramme tarde à tirer un trait sur l'écran plat et par là sur la vie du Pape, tant que ses paupières battent encore. L'attente ne sera pas plus longue encore, le coq n'aura pas chanté une seule fois, avant que le Saint-Père ne rende l'âme.

La nouvelle de sa mort se répand aussitôt dans le monde. Le lendemain de sa mort, les condoléances fusent de par le monde. Les dirigeants de la planète s'empressent de dire du bien de Barthélemy 14. Le drapeau du Vatican est en berne. Partout dans le monde, l'on pleure la disparition d'un grand homme.

À Talla comme à Kandouraba, c'est la consternation. L'église, la sainte église de Dieu a perdu son principal pilier. Le Pape, le Saint-Père, l'ami de Dieu et des anges. Dans la région des Hauts-Plateaux, le Pape est un demi-dieu. Il est plus proche de Dieu que quiconque sur terre. De son vivant, il dormait aux côtés des anges, qu'en sera-t-il après sa mort ? Les chrétiens de Talla et de Kandouraba sont convaincus que les portes du paradis lui sont déjà ouvertes. Au Vatican, elles le sont aussi pour permettre aux fidèles de venir se recueillir. Dans les appartements du Pape décédé, son cérémoniaire et quelques cardinaux ont confirmé son décès en brisant son anneau. Pendant que les chrétiens catholiques pleurent leur Pape, à Londres, le MI6 élabore d'autres plans. Le directeur et son adjoint analysent les candidatures de tous les cardinaux.

— Monsieur le directeur, je trouve que la candidature de Cooper est un atout pour le MI6.

— L'idée me semble excellente, seulement nous ignorons comment se déroule l'élection du pape.

— Mais cela n'empêche que nous pouvons influencer cette élection.

— Comment ?

— Nous avons la liste de tous les cardinaux.

— Agent white, vous ne pensez pas à faire pression sur tout ce monde !

— Et pourquoi pas ?

— Il est tard, les cardinaux sont déjà en conclave.

— Quelle marge de manœuvre nous reste-t-il ?

— C'est vous le cerveau de « *Colombe blanche* ». À vous de trouver une solution.

— Je propose que nous continuions de faire pression sur le cérémoniaire du défunt Pape.

— Piache ! Pensez-vous qu'il ait un rôle à jouer dans cette élection ?

— Si.

— Agissez donc agent White. Agissez !

La réunion de travail entre les deux hommes s'achève. Le directeur du MI6 et son adjoint sont du même avis : Cooper doit être élu pape, quels que soient les moyens à utiliser.

Dans les couloirs du Vatican, les cardinaux électeurs sont en conclave. Ils prient, invoquent et implorent le Christ et sa vierge de mère de leur venir en aide. Les postulants au pontificat demandent l'inspiration du Saint-Esprit avant de choisir le prochain patron de l'église. Après des jours de prières, un nom est sur toutes les lèvres. Un cardinal est souhaité par la majorité des cardinaux. Selon eux, il est le meilleur d'entre eux. Il a toutes les qualités pour devenir un pape exemplaire. Sa popularité est un atout pour l'église en quête de leader. Kouadio fait l'unanimité au sein du Sacré Collège. Il est la personne qu'il faut pour diriger la sainte Église. Pour la première fois, les cardinaux sont décidés à rompre le signe indien. Ils veulent un homme digne à la tête de l'église, bien qu'il soit noir comme le charbon. La majorité des cardinaux réunis au Saint-Siège veut rentrer dans l'histoire, comme étant les premiers à plébisciter un homme de race noire à la tête du Vatican. Ils sont plus déterminés que jamais à changer l'ordre des choses dans l'église. Il n'y a pas qu'au sein du Sacré Collège que Kouadio soit autant souhaité comme Pape. À travers les quatre continents, le cardinal de Talla jouit d'une grande popularité.

Loin des micros et des caméras, loin des curieux et des profanes, les cardinaux électeurs sont prêts à passer au vote. Kouadio a pris place dans la célèbre chapelle Sixtine aux côtés de nombreux autres cardinaux. L'heure est au recueillement, le calme est monastique. Après une dernière et brève prière tirée d'un bréviaire, les bouts de papier sont distribués à tous les votants. Muni chacun d'un stylo, les cardinaux sont prêts à élire leur chef, qui ne peut être que Kouadio, étant donné que la majorité des cardinaux ont décidé de voter pour lui. Il ne fait plus l'ombre d'un doute, il sera élu Pape. Sur soixante cardinaux électeurs, cinquante sont en faveur du cardinal africain. Les rumeurs se répandent dans le monde. Cette fois sera la bonne, un noir sera à la tête du Vatican. L'heure de l'Afrique a sonné, un de ses fils portera la soutane blanche.

À l'esplanade de la place Saint-Pierre, les nombreux pèlerins s'attendent à voir apparaître sur le balcon un homme de race noire. À l'intérieur de la luxueuse chapelle Sixtine, les cardinaux s'apprêtent à écrire sur les bouts de papier le nom du futur Pape.

Mais avant, la tradition doit être respectée. Tous les votants ont l'obligation de boire dans la grande coupe de cristal. De la taille d'un ballon, la coupe que transporte Monseigneur Piache est impressionnante. Belle et brillante comme un lustre, elle contient un liquide rouge : le vin transformé en sang du Christ. Des deux mains, d'un pas serein, le cérémoniaire du défunt Pape avance avec le calice rempli du sang du Christ. Il doit le faire passer sur les lèvres de tous les cardinaux électeurs, sous les yeux du gardien des arcanes du Vatican. Les cardinaux doivent s'abreuver du sang du Christ avant de prendre la lourde responsabilité de confier les clés de son église à un d'entre eux. Un à un, les cardinaux électeurs boivent dans la plus grosse des coupes. Quand ils eurent fini, ils se mirent à écrire. Cinquante d'entre eux avaient en idée de voter pour Kouadio. Mais aussi surprenant que cela puisse paraître, un grand nombre écrivit le nom de Vincenzo, le cardinal de Milan. Les élections au Vatican n'ont jamais les mêmes votants, mais toujours les mêmes vainqueurs. La tradition va se perpétrer avec l'élection d'un Pape italien. Les bouts de papier sont dans l'urne que Monseigneur Piache prend soin de retourner, avant de dire Vincenzo cinq fois, Kouadio autant de fois et Perol cinquante fois. Le cardinal polonais recueille la majorité des voix. La cloche retentit et la fumée blanche s'échappe du toit du Saint-Siège. Les cardinaux électeurs applaudissent leur nouveau chef, mais ne reconnaissent pas l'avoir plébiscité à la tête de l'église. Ils sont surpris par ce résultat qui ne reflète en rien leurs intentions.

Au Vatican, nul n'a le droit de contester une élection, au risque d'une excommunication, les cardinaux connaissent la loi. C'est ainsi qu'ils acceptèrent sans mot dire le résultat de cette parodie d'élection. Le cardinal polonais revêt aussitôt les accoutrements de souverain pontife. Sur la place Saint-Pierre, les chrétiens venus massivement attendent de connaître le visage du nouveau Pape. À la grande surprise, le cardinal tant aimé n'apparaît pas sur le balcon, c'est un blanc. Il s'agit du cardinal polonais Perol. Varsovie exulte. Le fils du pays vient d'être élu Pape. Pour une fois, le Pape n'est pas italien, il est d'une nationalité autre. C'est un coup dur pour l'Afrique qui croyait dur comme fer qu'un de ses fils deviendrait Pape. La Franc-maçonnerie n'a pas réussi à asseoir le nouvel ordre mondial. Son grand maître a toutefois réussi à placer son chevalier rose-croix à la tête du Vatican. Cooper n'a jamais été ordonné prêtre, il est de nationalité britannique et a usurpé la nationalité et la personnalité d'un haut responsable de l'église pour devenir cardinal puis Pape Jacques 13. Cette une ignominie pour la sainte Église d'avoir à sa tête un homme jamais ordonné.

Un espion du MI6 de surcroît franc-maçon est devenu Pape. Cet apostat a sali et souillé la sainte église de Dieu. L'apôtre Pierre doit certainement s'être retourné trois fois dans sa tombe, en voyant un imposteur prendre la tête de l'église. De son vivant avait-il sans le savoir ouvert la boîte de pandore, en reniant trois fois le Christ ? Le reniement de Pierre a sûrement ouvert la porte de l'église à un renégat de la pire espèce !

À Varsovie comme partout ailleurs, le nom du Pape est accueilli avec joie. En Pologne, les félicitations des amis et membres du clergé sont envoyées à madame Rita. Son téléphone sonne sans arrêt. Au bout du fil, l'agent Margaret. L'espionne du MI6 parle, pourtant est perçue la voix de la mère du cardinal

Perol. Les techniciens du MI6 ont pris soin d'enregistrer la voix de la mère du prélat. À l'aide d'un logiciel, la voix de Margaret a été transformée en celle de Rita. Le cardinal et sa suite, kidnappés dans une banlieue de Varsovie n'ont droit à aucune information. La télévision et internet sont interdits dans leur cachot. Ils mangent à longueur de journée et jouent aux échecs. Leurs vies en cage sont loin d'être des réussites. Toutes leurs tentatives d'évasion se sont soldées par de cuisants échecs. Le véritable cardinal et ses proches ignorent que Barthélemy 14 n'est plus et qu'il s'est fait remplacer par un anglais dénommé Cooper.

À Londres pourtant, l'ensemble de l'équipe travaillant sur l'opération « colombe blanche » connaît les contours de la supercherie. Les agents de MI6, sur ordre de leur directeur adjoint, ont remis à PIACHE l'urne trafiquée dans laquelle des bouts de papier en grand nombre étaient marqués du nom de PEROL. L'agence de renseignement britannique a truqué l'élection du Pape. L'ordre maçonnique contrôle définitivement le Vatican. Son vaillant chevalier a pris la tête du saint des saints de l'église, et se fait désormais appeler Saint-Père. Sir Smith profite de cette excellente nouvelle, pour convoquer une extraordinaire réunion, pour annoncer à ses frères qu'un des leurs siège désormais à la tête d'une puissante organisation.

La salle de la grande loge de Londres est archicomble. Le grand maître prend la parole avec un air des grands jours.

— Soyez les bienvenus bien-aimés frères. Il y a quelques années, je vous promettais de reprendre notre héritage des mains du Vatican. Cela n'est pas encore effectif, nos recherches continuent dans ce sens, néanmoins nous célébrons une victoire en ce jour, et pas des moindres.

— Grand maître de quelle victoire faites-vous allusion ?

— Notre chevalier a bravé les vents, esquivé les écueils, s'est servi de son épée pour décapiter le Pape et ensuite prendre la tête du Vatican.

La nouvelle est reçue avec un étonnement collectif et une joie similaire.

— Soyez plus explicite grand maître. Que de chevaliers rose-croix nous dénombrons, lequel s'agit-il ?

— Il s'agit du brave, du courageux et du vaillant Cooper.

La salle ovationne et félicite le grand maître pour avoir réussi une si grande prouesse. Certains ne s'empêchent pas cependant d'en savoir davantage sur ce coup de maître.

— Grand maître, il nous semble que le Pape Jacques 13 est le cardinal polonais Perol.

— Bien évidemment, Cooper est Perol de nom. Sa grande ressemblance avec le cardinal polonais nous a aidés à l'infiltrer au Vatican.

Toute l'assemblée applaudit à nouveau, en recevant des mains du grand maître, les invitations à la première messe du Pape Jacques 13. L'officier des services de renseignements britannique est si ressemblant au cardinal polonais, que sa femme qui le sait toujours à Johannesburg le surnomme le sosie du Pape. Le rôle et la mission de Cooper au Vatican ont été gardés secrets. Durant toutes ces années au Vatican, l'agent du MI6 s'est excusé maintes fois auprès du défunt Barthélemy 14, prétextant se rendre à Varsovie, alors qu'il allait à Londres, pour assurer son devoir conjugal. Cooper est un espion chevronné, un imitateur parmi les plus grands et les plus doués. Il fait étalage de son immense talent lors de sa première messe pontificale. Il est insoupçonnable et impeccable dans son nouveau rôle de Pape. L'espion anglais est simplement excellent, sa démarche et sa prise de parole sont celles d'un Pape. À force d'imiter Perol,

Cooper l'est devenu, et exécute ses premiers pas de Pape avec une maîtrise inégalée. L'imposteur est au sommet de son art, lorsque, encensoirs en main, il contourne l'autel, s'arrête quelques minutes devant le saint sacrement avant de répandre l'encens dans les lieux. Cooper est un artiste. Il semble même plus charismatique que ses prédécesseurs. Ses gestes séduisent les fidèles, et son homélie leur fait couler des larmes. Il emporte si intensément la foule dans les nuages, que ses frères maçons ont du mal à croire qu'il soit un des leurs.

La foule de fidèles massée à la place Saint-Pierre admire, apprécie et acclame le nouveau Pape. Un homme jamais ordonné, qui n'est oint que de malice ! Cooper transformé en Pape Jacques 13 est un personnage plein de ruse, formé par le MI6 pour tromper. Le monde entier ignore que derrière ce Pape polonais se cache un anglais futé et rusé. Au Vatican, un homme a des doutes sur la réelle identité du Pape. Monseigneur Piache reconduit à son poste de cérémoniaire suspecte le nouveau Pape d'être à la solde d'une puissante organisation. Malgré ces soupçons, il est incapable de le dénoncer, lui-même étant trempé dans des combines diverses. Il ne peut que se taire et obéir au MI6, au risque de voir ses secrets divulgués.

Dans la horde d'invités présents au Vatican, un homme est venu de Londres féliciter son agent. Un homme dont l'intuition et la vision ont valu à un espion de devenir Pape. Le Pape Jacques 13 est honoré de la visite du chef des opérations secrètes du MI6. Son mentor a tenu à saluer la manière avec laquelle il a mené sa mission. Le directeur adjoint du MI6, et penseur de l'opération « *Colombe blanche* » s'entretient avec le nouveau maître du Vatican

— Félicitations agent Cooper, ton courage nous honore.

— Merci chef, je n'y serais pas arrivé sans votre précieuse aide.

— Sachez que vous êtes couvert, Piache est sous contrôle.

— Voilà qui me rassure. Où en êtes-vous avec le parchemin ?

— Nous continuons les recherches.

Au Vatican, l'heure est aux retrouvailles entre agents du MI6 d'une part, et de l'autre les francs-maçons. Kouadio a quant à lui pris le chemin du retour, et s'achemine vers Talla avec le sentiment du devoir accompli. L'homme n'éprouve pas de remords, lui-même ne croyait pas en ses chances de devenir Pape. Il sait que faire partie des cardinaux électeurs pour le noir qu'il est n'est qu'honorifique. S'il ne tenait qu'à lui, il n'effectuerait jamais le déplacement au Vatican, pour assister à un simulacre d'élection.

Après des heures de voyages, il est sur ses terres, où avec sérieux, il accomplit chaque jour sa tâche de disciple du Christ. Ses offices drainent un nombre impressionnant de personnes. La réputation du prélat est si grande que ceux confessant d'autres religions veulent le voir à l'œuvre. Ses prêches et ses prodiges en qualité d'exorciste ont réussi à reconvertir beaucoup d'adeptes d'autres religions. Durant les jours de la semaine, son bureau ne désemplit pas. En cette matinée du jour du temps ordinaire, un visiteur insiste pour le rencontrer. Son nom ne figure pas sur la liste des personnes ayant pris rendez-vous. Il force pourtant le passage. L'homme n'est pas un habitué du diocèse. Il est de ceux dont on aperçoit la silhouette à l'église une fois l'an. Débraillé, il paraît assommé par la faim et la fatigue. Son corps recouvert de sueur dégage une odeur désagréable.

— Que puis-je pour toi mon fils ? s'empressa de demander le Cardinal.

— Ma femme est malade, elle est tourmentée par les démons.

— Comment le sais-tu ?

— Elle crie sans arrêt, déchire ses vêtements et les miens. De plus, elle parle une langue inconnue.

— L'as-tu emmené dans un hôpital psychiatrique ?

— Je n'ai pas les moyens de garantir ses soins. Je demande votre aide.

— De combien as-tu besoin ?

— Je n'ai besoin que de vos prières.

— Êtes-vous unis par le lien sacré du mariage ?

— Euh euh, pas encore.

— Voilà une attitude indigne d'un chrétien. As-tu reçu tous les sacrements de l'Église ?

— Je ne suis que baptisé.

— Tu devras faire la promesse à ton Dieu qu'une fois ton épouse guérie, vous prendrez le sacrement de la communion et vous vous marierez à l'église.

— Je le ferai.

Le cardinal annule ses rendez-vous, et se rend disponible pour cet homme attristé par la maladie de son épouse. Avant de le convier à prendre place dans sa voiture, il ordonne que lui soient servis un repas et une boisson fraîche. La voracité, avec laquelle il mange, témoigne de la faim qui tenaillait ses entrailles. Après s'être rempli l'estomac, il s'assied aux côtés du chauffeur, pour mieux lui montrer le chemin conduisant à son domicile. À l'arrière, le cardinal tient à sa main droite une croix, et de l'autre un livre d'exorcisme. Après d'incomptables bifurcations dans les faubourgs de Talla, la voiture se gare devant une maison recouverte de tôles, alors que la plupart de la ville sont en tuiles.

À première vue, le quartier souffre d'une insalubrité. Les tas d'ordures jonchent les rues et ornent les contours des maisons. Non loin, des jeunes désœuvrés reconnaissent le prélat.

Le cardinal descend du véhicule, et se dirige vers la pièce maîtresse de la maison, puis vers celle où se trouve la possédée. La chambre est obscure, la folle hurle et se déchaîne chaque fois qu'un brin de lumière pénètre dans la salle. La pièce reste fermée à longueur de journée, et ne s'ouvre que lorsque les ténèbres recouvrent la terre. Exténué par les cris et les attaques de son épouse, l'homme aux allures d'éboueur n'a trouvé mieux que d'obéir à ses caprices démoniaques. Kouadio lui est un prêtre exorciste, de surcroît cardinal, et ne peut se laisser commander par un esprit aussi malin qu'il soit. C'est ainsi qu'il ordonna que s'ouvre la porte. Le mari poltron s'exécuta, et dans un coin se montrèrent deux yeux brillants, comparables à ceux d'un lynx. À l'instant que la chambre fut envahie et éclairée par la lueur du jour, la forcenée bondit telle une lionne affamée sur sa proie, mais la croix tendue de l'exorciste la repoussa. S'ensuit alors une série d'incantations et de récitation de saints noms. La croix dirigée vers la possédée, le cardinal exorciste profère de puissantes paroles à l'encontre de l'esprit qui hante la jeune femme. Bousculé par l'énergie résultant de la longue litanie des saints, l'esprit qui tourmentait la femme s'en alla. Le démon qui la persécutait depuis des années fut vaincu. Combattue par la force de la prière, la possédée poussa un grand cri et se libéra de l'esprit maléfique qui l'avait faite prisonnière. Afin de sceller à jamais les portes de son âme, l'exorciste l'oint d'huiles saintes. Ils peuvent à présent dialoguer.

— Sois la bienvenue dans la lumière du Seigneur, ma fille.

— Merci Monseigneur.

— Quel est ton nom ?

— Bala Sabine.

— Te souviens-tu du jour où tes ennuis ont débuté ?

— Tout a commencé, après qu'une femme blanche m'ait remis une valisette. En l'ouvrant, j'ai découvert en plus des vêtements pour enfants, quelque chose d'horrible.

— Où est la valisette en question ?

Bala Sabine indiqua au cardinal l'endroit où est posée la valisette. Il l'ouvrit, la parcourut et y découvrit un parchemin et une bague, sous laquelle est estampillé le même effroyable symbole que celui gravé sur la peau de bête. L'homme de Dieu en fut troublé quelques minutes, avant de reprendre ses forces grâce à une prière intérieure.

Sans mot dire, il regagna sa voiture et prit le chemin du diocèse. Dans sa chambre, il ouvrit le parchemin sur lequel est dessiné un symbole effrayant, entouré d'écriteaux qu'il s'abstient de lire, de peur de subir une attaque. Heureusement qu'il est exorciste, sinon il aurait été foudroyé. Le cardinal a reconnu l'anneau du Saint-Père, et se demande comment cette bague a pu se retrouver en Afrique. L'homme de foi est bouleversé par sa découverte.

Confiné dans sa chambre, il est confus et n'est pas loin de remettre en cause le credo de l'église. Les principes de base de la chrétienté ne sont-ils que de simples slogans ? Dans cet océan de questionnements, il cherche un îlot de réponses, à même de le rassurer, et le ramener vers le chemin de la foi. L'idée lui vint de faire part de sa trouvaille à sa mère, mais renonça, cela pourrait semer en elle la confusion. Il voulut en parler à Fanta, la distance avec Kandouraba l'en dissuada. Son Dieu reste son unique rempart. Muni de son bréviaire, il médite sur les prières réconfortant l'homme pendant les moments troubles. À la fin de la journée, il opta pour l'omerta, et prit la décision de garder l'anneau et le parchemin. Sans le savoir, il détient le parchemin de tous les périls et de tous les pouvoirs.

Un cardinal n'a jamais été aussi puissant que celui de Talla. Un prélat africain n'aura pas été autant sollicité par les chefs d'états et rois du monde. L'on s'agenouille dorénavant pour le saluer. Son pouvoir s'accroît au fil des jours. Ses sorties sont de plus en plus rares. Il s'adonne de moins en moins aux bains de foule et ne se rend plus à Kandouraba. Ses sorties enchantent d'immenses foules. Des personnes sont si excitées en le voyant, qu'on se croirait en présence d'une star du showbiz. Le culte de personnalité voué à Kouadio par les habitants de Talla est si excessif, qu'on a du mal à croire qu'il y naquit et grandit. On dirait qu'il est venu d'une planète autre que la terre, il n'a pourtant rien d'un extraterrestre. Son influence a pris de telles proportions que ses prises de position font référence. Le Cardinal de Talla est désormais plus monarque que le roi, sa notoriété aux yeux des chrétiens catholiques surpasse celle du Pape.

Au Vatican, l'espion du MI6 devenu Pape Jacques 13 passe des jours heureux. Ils savourent de délicieux mets, en sabotant l'œuvre des apôtres. À Londres se trouve un homme de foi, qui au soir de l'échec du complot visant à kidnapper le défunt Pape, y avait décelé la main divine, le signe, la preuve que Barthélemy 14 était un serviteur modèle. Donald, bien qu'agent du MI6 est un chrétien convaincu. L'homme n'a jamais changé de conviction. Selon lui, Dieu est trois fois saint, et le Pape deux fois moins. Il conçoit mal comment un homme jamais ordonné peut s'asseoir à la tête d'une institution aussi sacrée que l'église. « Sacrilège, sacrilège, sacrilège », s'écria-t-il lorsque Cooper devint Pape.

En bon chrétien, l'agent Donald s'est déjà confessé, implorant la miséricorde divine, pour avoir participé à l'opération « *Colombe blanche* ». Il plaint cependant les autres conspirateurs du MI6, qui selon lui sont d'avance condamnés à la damnation éternelle. Donald est indigné qu'un ignoble personnage puisse bénir les foules. Selon lui, ce manipulateur doit être banni de la société. Blessé dans son âme et révolté par la papauté d'un impie, il projette d'attenter à sa vie. Ce chrétien de première heure attend le moment idéal pour éliminer son collège devenu Pape. Puisqu'il reconnaît son incapacité à le faire destituer, il opte pour la manière forte. Il veut amputer la sainte église d'un membre dont l'impureté menace de gangréner tout son corps. Cooper est une pourriture, dont il faut se débarrasser au plus vite, afin que l'église retrouve Sa Sainteté. L'agent du MI6 et fervent chrétien veut empêcher à l'outil du grand architecte de faire plus de dégâts dans l'église.

Dans son appartement londonien, il complote et étudie différentes approches susceptibles de l'aider à réussir sa mission. Pénétrer au Vatican est un acquis, cependant, éliminer le maître des lieux s'avère ardu. Approcher et tuer le Pape n'est pas aisé. Il faudrait pour cela venir à bout de nombreux autres agents affectés pour sa protection. Contrairement à lui, ce sont des agents de terrain plus habitués au contact avec les cibles.

Après avoir fait le tour des questions essentielles et mesuré ses forces et faiblesses, il conclut qu'il serait hasardeux d'affronter ses collègues. Une méthode moins risquée et plus efficace est à préconiser pour écarter Cooper de la tête de l'église. En parfait espion, il envisage d'user de la même stratégie que celle ayant permis à son collègue de devenir Pape.

Pour réussir sa mission, il doit revêtir un costume autre que celui d'espion. Il doit lui aussi usurper une identité autre que la sienne. Jouer le même jeu, pour battre le MI6 dans son jeu ! Il voulut jouer les photographes, ou les prêtres, mais aucun de ces rôles n'a de couvertures assez larges, pour éviter à son visage d'être à découvert. Seul le képi d'un carabinier italien peut éviter à son visage d'être vu et reconnu. L'arme et les balles sont à porter, reste à se procurer de l'uniforme de policier italien.

En quelques jours, l'homme a pu réunir le matériel nécessaire pour l'accomplissement de son forfait. Il est physiquement et spirituellement prêt pour à jamais rayer le nom de Cooper de la liste des vivants. Il est prêt à passer à l'acte et ne se préoccupe guère de sa probable arrestation, et inculpation pour haute trahison. En fervent chrétien, il veut laver le déshonneur fait à la sainte Église. Il est prêt à assumer les conséquences, même les plus dramatiques de sa perfidie. Il est prêt à payer le prix fort, même au prix de sa vie s'il le faut, pour débarrasser la sainte église de l'opprobre jeté sur elle par le MI6. Cet espion, jadis pion du MI6 est prêt à souffrir le martyre, et à le devenir pour une cause chère à son cœur. Son âme trouverait alors le repos éternel. Il sait que son acte lui vaudra de ne point attendre la fin des temps et la résurrection des morts, pour vivre la plénitude du paradis.

Au Vatican, rien n'a changé. La franc-maçonnerie mène toujours les débats. À Talla, dans la région des Hauts-Plateaux, le Cardinal Kouadio est toujours aussi adulé. À Varsovie, le véritable Cardinal Perol et sa suite demeurent toujours captifs du MI6, tandis qu'à Bales en Suisse, Karl est devenu un tennisman d'exception. Son génie n'a point d'égal. À son jeune âge, il réussit des coups de maître qui étonnent les observateurs. Selon eux, Karl sera très certainement le meilleur joueur de tennis au monde, tant son revers droit est imparable !

À bord de sa voiturette aux vitres transparentes, conçues pour résister à l'épreuve des balles, le Pape Jacques 13 passe en revue les fidèles amassés le long du parcours. Aux abords de la route, de nombreux fidèles espèrent apercevoir le Pape, dont la papamobile est encadrée par les policiers italiens. Le véhicule du Pape est amené par des motards de la police municipale de Rome qui le précède et le succède. L'instant est solennel, sous un soleil moins ardent à cause des nuages qui le cache. Les mains levées, pour saluer et agiter les fanions jaunes et blancs aux couleurs du Saint-Siège, les chrétiens acclament leur Pape.

Tout à coup, un motard se démarque. Sa moto va plus vite, file à toute vitesse, dépasse les nombreuses autres du cortège, s'approche et accroche la papamobile. La garde rapprochée est prise de court. Le motard réussit à sauter avant l'impact, et s'éjecte de son engin avant que les explosifs qu'il transporte n'explosent. Une détonation se fait entendre, et disperse toutes les colombes de la place Saint-Pierre.

Les corps des gardes autour de la papamobile sont propulsés des mètres plus loin. Fauché sur son parcours par une bombe, la voiturette du Pape bien que blindée ne put tenir la route, elle se renversa, l'obligeant à sortir de l'habitacle. Ce n'était point le moment de s'extraire de sa forteresse mobile. Toutefois, il fut contraint à cause du feu menaçant et de l'étouffante fumée qui faillit de peu l'étourdir. Hors de sa papamobile, le Pape écarquille les yeux surpris par ce qu'il voit. Ce sera la dernière image qu'il verra avant son voyage vers l'au-delà.

Effaré par son agresseur, il retroussa sa longue soutane blanche, pour courir et échapper au danger. Malheureusement, ses jambes ne peuvent aller plus vite que le plomb, qui telle une fusée sortit de la bouche du 24 millimètres pour transpercer son crâne. Le Pape s'écroule et succombe tout comme son bourreau abattu par ses gardes. Tandis que les cris et les hurlements de la foule envahissent l'espace, les flots de sang ruissellent le long de son corps, pour tacher sa soutane. Elle n'est plus blanche, elle est maculée de sang. Le corps du Pape Jacques 13 gicle sur le sol aux côtés de celui de son collègue Donald.

Le MI6 vient de perdre deux espions, dont les corps inertes et perforés de balles gisent l'un non loin de l'autre. Cooper et Donald n'étaient pas si proches idéologiquement ni physiquement. Ils meurent cependant au même endroit. L'agence de renseignement britannique est en deuil, le Vatican aussi. À travers le monde, les fidèles se lamentent, coulent des rivières de larmes, s'indignent et condamnent l'attentat perpétré contre le Pape. L'ambition de ce Pape à la tête de l'église n'avait pourtant aucune odeur de sainteté. L'espion Cooper est mort bien avant d'avoir réussi à tuer l'église et la foi. Un homme de foi l'en a empêché au péril de sa vie.

L'agent Donald est un héros dans l'ombre. Le monde ne le reconnaîtra jamais comme tel. Sa renommée sera à jamais salie par les chrétiens de tout âge. Il a désormais son nom sur la liste noire d'hommes malveillants que la terre ne méritait pas de compter parmi ses enfants. Toutes les bouches le maudissent. L'on souhaite que de son âme, il n'en reste rien, qu'elle soit déchiquetée par les feux brûlants de l'enfer. Bien qu'étant mort et n'étant plus dans le monde des vivants, l'on veut voir Donald anéanti et détruit. Si un mort pouvait être tué, il aurait été le premier de l'histoire à connaître un tel sort. Donald est la honte de l'humanité. Sa mémoire est partout vilipendée, pourtant son acte a déjoué le plan de l'ordre maçonnique, pour remettre de l'ordre dans la sainte Église.

L'opération « *Colombe blanche* » bat de l'aile : la colombe a ses deux ailes fracturées. À Londres, au siège du MI6, grande est la consternation. L'on pleure des amis, collègues et confidents, dont les complicités avec d'autres agents dépassaient largement le cadre professionnel. L'émotion et le chagrin n'empêchent pas le travail de se faire. Le drame produit à Rome risquerait de mettre à mal les relations entre l'État du Vatican et la Grande-Bretagne, s'il venait à être prouvé que le tueur et la victime étaient des agents anglais. Le MI6 par la voix de son directeur adjoint ordonne aux agents présents au Vatican de faire disparaître tous les indices reliant l'agence aux deux malfrats décédés.

— Ces deux malfrats doivent être effacés de toutes nos bases de données, déclara Sir Smith.

— Nos meilleurs agents sont à pied d'œuvre monsieur.

— Envoyez également des nettoyeurs au Vatican, je veux que les empreintes des morts ne parlent pas. Mettez tout en œuvre pour que rien ne nous lie à ces individus.

— Bien reçu.

Quelle ingratitude ! Quel métier ingrat que celui d'espion ! Hier félicités et décorés, aujourd'hui reniés et rejetés.

Bien avant que les services italiens arrivent sur le site de l'attentat, les agents de MI6, affectés à la protection du Pape, avaient déjà versé sur les cadavres un liquide dont la particularité est d'effacer toutes empreintes. Aucun service ne pourra plus remonter à la source du complot. Le MI6 est hors de danger ; et pour définitivement l'être, il est ordonné aux agents restés à Varsovie de faire leurs bagages.

L'équipe qui veille sur les otages est priée de regagner Londres au plus vite. Leur présence en terre polonaise n'est plus d'aucune utilité, du moment où l'opération « *Colombe blanche* » vient de perdre toutes ses ailes. Avant de quitter Varsovie, Margaret et quelques agents nettoient les lieux. Ils tuent les otages avant de les engloutir dans des fûts remplis d'acide. Le vrai et le faux Cardinal Perol sont morts, ils se verront probablement dans l'au-delà pour régler leurs comptes. La franc-maçonnerie et le MI6 ont effectué un retrait tactique, en attendant d'avoir le meilleur angle de tir pour démolir le Vatican. Le Vatican a désormais des allures de forteresse. Les hommes en armes sont postés de toute part. De toute part arrivent également les cardinaux électeurs venus assister aux obsèques et aux conclaves. Les obsèques du Pape non italien, et non ordonné de l'histoire achevée, la chapelle Sixtine peut reprendre du service.

Sont présents les cardinaux électeurs venus des quatre coins du monde. Outre la prière habituelle dans laquelle ils sollicitent l'inspiration du Saint-Esprit pour guider leur choix, les hommes en soutanes noires et coiffés de rouge, implorent le Christ afin que les jours de son futur représentant sur terre soient plus longs que ceux du précédent. Les cardinaux-électeurs passeront bientôt au vote. Ils sont à la fois candidats et électeurs. L'élection au Vatican est la seule au monde où tous les électeurs sont candidats et de potentiels Papes. Au Vatican, les années et les époques passent, les Papes se succèdent, cependant demeure la même tradition. Le même rituel s'effectue avant chaque élection. Les cardinaux rassemblés dans la chapelle Sixtine ont l'obligation de tous boire le vin rouge à l'image du sang du Christ, contenu dans une coupe de cristal.

Monseigneur Piache s'est déjà perdu dans les couloirs du Vatican, où il se dirige vers la sacristie dont il ne détient pas les clés. Ici n'ont accès que les Papes et les gardiens des arcanes, dont l'ambition n'est pas de régner au Vatican mais d'en préserver les secrets. Des codes, il en faut toujours. Le Vatican n'est régi que par les codes. Il faut au cérémoniaire de taper 13 fois pour que s'ouvre la porte de la sacristie. Une, deux, quatre, ou des milliers de tapes ne l'ouvriront pas, et pousseront le gardien des arcanes qui y joue les sacristains, à alerter la sécurité. Le cérémoniaire n'a pas à s'en faire, il connaît le code, mais ignore comment est préparé le vin que boivent les cardinaux-électeurs avant le vote. En plus d'être volumineuse et lumineuse, la coupe sacrée remplie de vin est ornée d'un trait circulaire et des écrits en latin qui disent « *cette coupe est sacrée, et ne doit pas se vider en dessous de cette limite* ». En la baladant sur les lèvres des cardinaux-électeurs, les cérémoniaires s'étant succédé au Vatican se sont toujours rassuré qu'elle ne se vide pas en dessous du trait jaune or qui la coupe en deux.

Après s'être fait remettre la coupe sacrée, Monseigneur Piache se fait escorter par le gardien des arcanes du Vatican. Malgré son physique affaibli bien plus par le poids des secrets que celui de son âge, le vieil homme traîne son corps jusqu'à la chapelle Sixtine où se déroule le vote. Le gardien des arcanes est un orfèvre réputé, dont les mains agiles façonnent les anneaux des Papes. Le cérémoniaire fait son entrée dans la mythique chapelle.

Son irruption fait lever toute l'assemblée comme un seul homme. Les cardinaux-électeurs sont debout et droits. Ils doivent rester ainsi jusqu'à la fin de l'interminable chant qui hante les murs de la chapelle des minutes durant. Quel exercice ! Pas étonnant qu'il y ait une limitation d'âge pour être cardinal-électeur. Rester debout des heures à chanter, requiert une forme physique irréprochable, au risque de se voir chanter le requiem avant l'heure ! Le plus vieux d'entre eux le sait. Il reste assis sur son siège de superviseur de l'élection. Monseigneur Stuart n'est pas électeur, il n'est qu'observateur, et à ce titre adopter la position debout ne lui est pas obligatoire. Le sang du Christ ne peut être bu assis. Seuls les hommes debout le boivent. Ceux dont les esprits et les corps sont aptes à servir la sainte Église.

Debout, ils accueillent le maître de cérémonie dont la lourde tâche est de transporter la coupe sacrée. Ses pas paraissent moins protocolaires et moins rassurants. Sa démarche n'est plus la même, le prélat marche en vacillant, il titube. D'abord les pieds, ensuite les mains qui tremblent et menacent de laisser tomber la coupe remplie de vin. Cette coupe ne saurait être plus lourde qu'à l'accoutumée. L'homme semble perdre ses moyens. Dubitatifs, les cardinaux regardent le cérémoniaire lutté contre lui-même, pour ne pas tomber et la coupe avec. Incapable d'avancer ni de reculer, Monseigneur Piache est contraint de marquer une pause. Ses deux mains et bras ne trouvent pas de repos, ils tremblotent sans arrêt. Son corps tout entier s'en trouve alors déséquilibré, à tel point que, ses pieds ne pouvant plus tenir debout faiblissent, obligeant à ses mains trempées de sueur, de lâcher la coupe. L'énorme calice s'échappe de ses mains et s'écrase sur le marbre.

Les bouches des cardinaux électeurs, déjà béantes pour chanter l'hymne d'avant-vote, le demeurèrent pour s'étonner du spectacle s'offrant à eux. L'homme dont les mains avaient la charge du vase l'est tout aussi.

Les cardinaux pensaient tout savoir du Vatican. Ils découvrent avec effroi sa face cachée, et réalisent combien ils étaient manipulés. Certains souhaitent que ce qui vient de se produire dans la chapelle Sixtine demeure secret. D'autres par contre souhaitent que le monde chrétien connaisse la vérité, toute la vérité sur le Vatican, et la manière dont s'y déroulent les élections.

Une nouvelle scission de l'Église catholique n'est pas loin de se produire. Un bon nombre de cardinaux estiment que le

Vatican, s'étant rendu coupable de profanation, ne doit plus tirer les ficelles de la sainte Église. Les avis divergent. La chapelle Sixtine se transforme tout à coup en parlement, ou chacun veut faire valoir ses positions. Kouadio n'ose se prononcer. Les poches de sa soutane contiennent le parchemin, et l'anneau papal trouvé chez Bala Sabine, la femme jadis possédée. Le cardinal de Talla est d'autant plus sur la réserve que, le symbole sous la coupe de cristal est le même sur le parchemin de Salomon et sous l'anneau papal. Il a depuis gardé le secret de sa trouvaille, et ne peut en ce moment le révéler à ses frères en Christ, au risque d'être accusé de complicité avec le Vatican. Il garde le silence pendant que les autres jacassent. Vincenzo le cardinal de Milan propose que le secret ne sorte pas des murs de la chapelle Sixtine

— Chers frères, aucune œuvre humaine n'est parfaite, tous autant que nous avons des choses à nous reprocher, je propose donc que nous restions fidèles au Saint-Siège.

— Ce siège n'a rien de saint, riposta un cardinal français.

— Je l'admets, mais pouvez-vous prétendre être exempt de défauts ?

— Nous ne sommes pas à mon procès à ce que je sache.

— Ne faites pas le procès du Vatican non plus.

— Vos positions montrent clairement que vous êtes complice du vil spectacle.

— Nullement pas, je veux juste ne pas trahir mon église.

— Je conviens avec vous, puisque cette institution a plus profité aux ressortissants italiens qu'à d'autres.

— Vos insinuations m'agacent.

— Vos prises de position sont indignes de celles d'un disciple du Christ.

De peur que le conclave ne se transforme en bataille entre cardinaux, le cérémoniaire appelle les uns et les autres à faire preuve de retenue.

— Gardons-nous d'étaler nos comportements dans la maison de Dieu.

Les appels au calme de Monseigneur Piache tombent dans les oreilles de sourds, aucun Cardinal n'accorde du crédit à ses dires. Les cardinaux-électeurs sont incapables d'arriver à un consensus. Les désaccords entre eux sont de plus en plus aggravés. Pour mettre fin à ce désordre, Monseigneur Vincenzo propose le vote. Cette idée est visiblement du goût de l'ensemble des cardinaux présents. Ils s'étaient rassemblés dans la chapelle Sixtine pour élire un Pape, les voici appelés à décider de l'avenir de l'église. Ils doivent se prononcer si oui ou non l'autorité du Pape doit se limiter au seul État du Vatican. Parmi ces hommes agités se trouve un vieil homme qui garde son calme. Le gardien des arcanes du Vatican reste muré dans le silence. Après un chahut persistant, qui menaçait même de réveiller saint Pierre endormi dans sa crypte, les cardinaux trouvent un compromis : celui d'entre eux qui sera élu devra ouvrir les portes closes du Vatican à tous les cardinaux-électeurs. C'est un soulagement pour le gardien des arcanes, qui assistait impuissant à l'implosion de l'église. Le calme est revenu dans la chapelle Sixtine, et chaque cardinal s'est vu remettre un bout de papier sur lequel il devra écrire le nom de son choix.

Dans le monde entier, l'on s'impatiente. La cheminée du Vatican tarde à cracher la fumée blanche. Le vote doit être serré, les candidats doivent être au coude à coude. Aucun cardinal ne s'est encore démarqué, raison pour laquelle la cloche du Vatican reste muette. Pour la première fois de l'histoire, une élection va se dérouler sans que les cardinaux-électeurs ne boivent dans l'énorme calice sacré. Les serviteurs de l'église s'apprêtent à voter comme les hommes du monde. Dans la chapelle où traditionnellement se déroule le vote, l'encens pontifical embaume les lieux et plonge les cardinaux dans un climat de piété. Le brouillard a disparu dans le ciel de Rome, les cardinaux peuvent à présent lire dans les étoiles, pour donner le verdict d'une élection qui semblait durer des lunes. Une élection n'aura pas autant traîné que celle-ci. Les chrétiens catholiques de la planète ont l'impression d'avoir attendu une éternité. Aux quatre coins du monde, les yeux sont tournés vers Rome.

Après des heures d'attente, la fumée blanche s'échappa de l'âtre du Vatican. Les cloches tonnèrent et déchirèrent l'atmosphère. Les épais nuages blafards s'éparpillèrent illico, et libérèrent dame soleil qui pulvérise alors le Vatican. Le firmament au-dessus de Rome frissonne d'allégresse, pour annoncer la naissance d'un nouveau jour, un nouvel espoir pour la chrétienté. L'instant est fantastique, la terre des hommes frémit à la vue du nouveau Pape, dont la couleur de peau est autre que celle du lait. Le temps s'arrêta, le temps d'un après-midi, où le monde tout entier vibra, traversé par une inqualifiable béatitude. Le Pape n'est pas blanc, pour la première fois, il est noir. L'homme debout sur le balcon du Vatican est un ressortissant de l'Afrique profonde. En voyant un des leurs élu Pape, les peuples de la forêt conclurent que Dieu n'était pas blanc comme les autres le leur avaient si habilement persuadé. Dieu n'est point monocolore, il est multicolore, car créateur de tout, donc à l'image et à la ressemblance de tout ! À l'instant qu'ils virent une peau d'ébène briller sur la mezzanine du Vatican, les hommes à la peau noire extirpèrent de leurs pensées que noir rime avec malheur. Ils ne seront plus considérés comme

152

amis des gnomes, le diable n'est plus noir dans leurs têtes, ils sont désormais enfants de Dieu au même titre que les autres.

Debout, tête haute et fier, Kouadio salue les fidèles de la place Saint-Pierre. Il échange des sourires avec le peuple de Dieu, avant de prononcer le *urbi* et *urbi*, la bénédiction solennelle.

La place Saint-Pierre est noire de monde venu acclamer le premier Pape noir de l'histoire. Le Pape n'est pas aussi grand qu'un baobab, reste que son apparence impose le respect. Son allure rassure. De plus, sa démarche sereine, synonyme d'un sérieux certain est appréciée des fidèles. Pour un homme né dans la Région des Hauts-Plateaux, ses traits de visage font exception. Le contraste entre son nez épaté, moins que celui de l'hippopotame tout de même, et son visage aminci comme ceux des peuls, étonne chez le bantou qu'il est. Il n'a pas autant de visages que Kandouraba le village aux mille visages, reste que le nouveau maître du Vatican est un personnage aux personnalités multiples. Quelques fois, sa fougue et son esprit guerrier le rapprochent des peuples Massaïs. À certains autres moments, il paraît plus conciliant et sage, ce qui laisse penser qu'il fut ordonné à la prêtrise des Dogons. Tel n'est pas le cas, Kouadio est un prêtre de Jésus-Christ, bien que mystérieux comme les peuples pygmées. Malgré ces traits mêlés, le nouveau Pape reste un homme comme les autres, avec ses forces et ses faiblesses.

La possession du parchemin de Salomon lui a ouvert les portes du Saint-Siège. Un homme aussi noir ne serait jamais devenu Pape sans la puissance de ce parchemin. Il l'ignore et ne réalise pas encore ce qui s'est produit. Il croit rêver, lui qui était convaincu que la papauté ne convenait qu'aux blancs. C'est bien réel, Kouadio est Pape, « Papa de Rome », « ami des anges et de Dieu » dans l'imaginaire des peuples de la forêt. La puissance du parchemin de Salomon est avérée. Ce n'est point un mythe, grâce à cet objet, une Région s'est développée en un temps éclair, et un homme de race noire est devenu Pape. La nouvelle de l'élection de Kouadio à la tête du Vatican a réveillé le grand maître.

L'opération « *Colombe blanche* » ayant échoué, le MI6 pense à mettre sur pieds une autre stratégie pour reprendre le parchemin. Les informations relevées à Talla font état d'une relation entre Kouadio et une jeune femme. Après qu'il a été fait cardinal, le directeur du MI6 avait ordonné à ses agents de le surveiller de près. Des filatures ont ainsi été menées dans la Région des Hauts-Plateaux. De Kandouraba à Talla, les agents du MI6 ont récolté des informations avec photos à l'appui. Le MI6 détient des preuves de la liaison de Kouadio et Fanta. Dans la salle, le directeur adjoint et grand stratège opte pour le chantage.

— Monsieur, je propose qu'avec le nouveau Pape, nous allions droit au but.

— C'est-à-dire.

— Avec tout ce que nous avons contre lui, nous pouvons le faire chanter.

— Je suis du même avis que vous.

— Devons-nous penser à envoyer des agents au Vatican ?

— Je n'en trouve pas la nécessité.

— Comment faire donc pour faire pression sur le Pape ?

— Je pense simplement qu'il nous faut avoir sa ligne directe.

— C'est une brillante idée monsieur, seulement Kouadio ne sera pas convaincu que nous avons des preuves contre lui, il risque ne pas fléchir.

— Dans ce cas, que faire agent white ?

— L'envoi d'agents au Vatican serait la meilleure option.

— Je ne peux prendre un tel risque, la mort des nôtres au Vatican m'a fait prendre du recul.

— Que proposez-vous donc, monsieur ?

— C'est à vous de faire des suggestions, je ne suis ici que pour trancher.

Le patron du MI6 ne recule devant rien, et rien ne peut l'arrêter dans sa quête du pouvoir suprême. Cette fois sera la bonne, il a la meilleure carte pour battre le Vatican. Avec les images des ébats sexuels du Pape, il ne fait pas de doute que ce dernier cédera le parchemin grâce auquel il a été élu. Une fois de plus, la franc-maçonnerie par le biais de son bras armé est en action. Le grand maître urge l'agent White de faire des propositions.

— Avez-vous une idée sur la façon d'approcher le nouveau Pape ?

— Je pense que nous devrions nous appuyer sur les contacts de Margaret.

— Faites-la venir.

Quelques heures plus tard, l'agent Margaret est au siège des renseignements britanniques. Ses contacts avec la mafia peuvent aider le MI6.

Pendant que Kouadio passe ses premières heures à la tête du Vatican, à Londres un complot se tisse contre sa personne. Sa relation fautive avec la danseuse de Kandouraba est sur le point de lui causer préjudice. L'incapacité du prélat à respecter son vœu de chasteté a mis à ses trousses des chasseurs de têtes. Les agents du MI6 ne le lâcheront qu'une fois le parchemin entre les mains de leur directeur. Dans les bureaux de la salle des opérations, Sir Smith est aux côtés des agents Margaret et White.

— Agent Margaret, la situation présente nécessite votre apport.

— Je ne suis là que pour servir monsieur.

— Agent White, expliquez-lui le nouveau plan.

Après de brèves explications, Margaret est imprégnée du sujet, le travail peut commencer.

— Pensez-vous que Don Lorenzo sera à la hauteur ? demanda Sir Smith d'un air incertain.

— Don Lorenzo est la personne qu'il faut. Il a deux hommes de confiance au Vatican.

— Et que demandera-t-il en échange selon vous ?

— Nous avions déjà un accord, il nous aide et en échange, nous laisserons un de ses camions chargés d'héroïne entrer en Grande-Bretagne.

— Reprenez donc contact avec lui et qu'on me ramène ce parchemin ici au plus vite.

Une fois le contact rétabli avec le parrain de la mafia, Margaret se prépare à fouler le sol du Vatican. Elle emporte avec elle un ordinateur portatif dans lequel ont été téléchargées les photos du Pape et sa concubine. Les agents du MI6 en véritables professionnels ont équipé l'ordinateur d'un code détenu par Sir Smith. Margaret a ordre de le remettre à la personne indiquée par Don Lorenzo. Elle n'est pas la seule en partance pour Rome, elle est accompagnée du directeur adjoint. Sir Smith a demandé à son homme de confiance de se rendre à Rome pour sécuriser le parchemin une fois hors des locaux du Vatican. Les agents du MI6 quittent leur quartier général de Londres, et s'envolent pour Rome à bord d'un avion privé.

Tandis que le directeur adjoint accompagné des agents Margaret et Coll font route vers Rome, le nouveau Pape est au téléphone avec les prêtres du diocèse de Talla qui lui adressent des félicitations. Après de longs entretiens téléphoniques, le nouveau Pape se rend dans la sacristie sacrée, où l'attend le gardien des arcanes du Vatican. C'est une aubaine pour lui en quête de réponses. C'est l'occasion pour lui d'en savoir davantage sur la coupe brisée dans la chapelle Sixtine. Monseigneur Stuart est la personne indiquée pour éclairer sa lanterne. Il maîtrise les codes du Vatican, il est le maître de l'ordre secret du Vatican, c'est lui qui officie l'initiation secrète des Papes.

Le nouveau Pape guidé par le cérémoniaire se dirige vers la sacristie sacrée. Kouadio doit se faire escorter par Piache s'il veut accéder à la sacristie. Seul le cérémoniaire connaît le code d'accès ; lui seul sait qu'il faut 13 tapes pour que s'ouvre la porte. Le Vatican est un monde de codes et de secrets, le nouveau Pape va progressivement découvrir ces mystères. Confiant, il pénètre dans la sacristie sacrée. La porte se referme aussitôt.

— Sois le bienvenu Kouadio.

— Je vous remercie Monseigneur Stuart. Je suis ici pour avoir des réponses.

— Je m'en doutais, sache que tu es au meilleur endroit.

— Pourquoi un si effroyable symbole sous la coupe qui s'est brisée dans la chapelle Sixtine ?

— C'est une tradition qui ne date pas d'aujourd'hui.

— Et pourquoi cette coupe s'est-elle brisée ?

— Simplement parce que tu détenais la source du pouvoir.

— Je ne comprends toujours pas.

— Deux symboles identiques se repoussant, la coupe s'est brisée.

— Comment savez-vous que je détiens la source du pouvoir ?

— Parce que l'élection de ce jour t'a porté à la tête du Vatican.

— Est-ce à dire que mes prédécesseurs étaient en possession du parchemin avant leur élection ?

— Ton cas est particulier.

— Et pourquoi cela ?

— Parce que c'est la toute première fois que le parchemin sorte du Vatican. Le développement de Talla prouvait que le parchemin s'y trouvait, mais nous étions incapables de savoir entre les mains de qui.

— Je vous prie de me croire, Talla doit son enrichissement au dynamisme de ses habitants.

— Talla et le Vatican doivent leur prospérité au pouvoir du parchemin de Salomon.

— Je ne peux croire une telle chose.

— Ce n'est que vérité, la perte du parchemin a causé de grands troubles ici.

— Puis-je savoir pourquoi l'anneau papal se trouvait près du parchemin ?

— L'anneau suit sa source.

— Comment est-ce possible ?

— Si vous déplacez le parchemin au pôle nord, l'anneau s'y retrouvera le lendemain.

— Cet anneau est donc magique.

— Évidemment, quelle étrange question !

— Mon Dieu ! s'exclame ensuite Kouadio.

— Ici, les choses ne sont pas ce qu'elles paraissent. Tout est formule ici, fais confiance à ma parole.

Les révélations du gardien des arcanes laissent Kouadio perplexe, il veut en savoir davantage sur le parchemin et sur le Vatican.

— Monseigneur Stuart pourquoi avoir gravé le symbole du parchemin sous la coupe dans laquelle buvaient les cardinaux avant le vote ?

— Les pères fondateurs du Vatican ont utilisé la puissance du parchemin pour que seuls les italiens deviennent Papes.

— Je ne comprends toujours pas.

— Un rituel a été fait en gravant le symbole sous la coupe. Vu le grand pouvoir de la formule magique de ce parchemin, les pères du Vatican avaient déclaré que les personnes qui boiront dans cette coupe devront toutes élire des Papes italiens.

— Comment expliquez-vous donc l'élection du pape polonais Jacques 13 ?

— L'élection de Jacques 13 fut truquée, cela nous a tous surpris. Toi, par contre tu es devenu Pape parce que détenteur du pouvoir du Vatican.

— Vous dites que les cardinaux ne votaient pas librement ?

— Si ce vote était libre et irréprochable, il y aurait depuis eu des papes non italiens et non européens.

— Ce que vous déclarez est très grave Monseigneur.

— Puis-je savoir pourquoi ?

— Parc que la liberté des cardinaux-électeurs est depuis toujours bafouée.

— Le mot liberté n'existe au Vatican qu'en apparence. Toutes les personnes présentes dans ce lieu sont ensorcelées par le pouvoir du parchemin. En ce qui concerne les cardinaux-électeurs, quelles que soient leurs pensées, elles changent après avoir bu dans la coupe.

— Sainte mère de Dieu !

Le nouveau pape est loin d'avoir découvert un pan de vérité sur le Vatican, et s'étonne déjà des confidences du gardien des arcanes. Le plus difficile et le plus étrange restent à venir. Il reste du chemin à Kouadio pour comprendre les mystères que cache le Vatican. Pour le moment, il discute de l'élection. Le nouveau Pape est curieux,

— Monseigneur Stuart, savez-vous que le symbole sur ce parchemin a plongé une femme dans la démence des années durant.

— Nous n'y pouvons pas grand-chose. Le Vatican se sert de ce parchemin pour asseoir sa domination dans le monde, et c'est mieux ainsi.

— Et pourquoi ?

— Imagine ce parchemin entre les mains d'une société secrète, cela aurait des conséquences néfastes pour le monde : fin des libertés et des religions, et bien des choses pires pour l'humanité.

— Raison de plus pour que ce parchemin soit détruit.

— Surtout pas ça, l'église se détruirait.

— Pas l'église, dites plutôt le Vatican.

— Tu as le choix. Tu peux au moment de graver le symbole sous la nouvelle coupe, déclarer que toutes les bouches qui boiront, se prononceront pour un Pape noir et sera ainsi pour l'éternité.

Depuis qu'il échange avec Kouadio, Monseigneur Stuart ne l'appelle pas Saint-Père, le nouveau Pape en est intrigué.

— Monseigneur Stuart, vous êtes la seule personne à ne pas m'appeler Saint-Père, remettrez-vous en cause mon autorité ?

— Pas du tout.

— Et pourquoi ne m'appelez-vous pas par le titre qui est le mien ?

— Pour moi, tu es un cardinal, tu n'es pas encore pape.

— Je vous rappelle que j'ai été élu, et le monde entier me reconnaît comme le nouveau Pape.

— Sache que le Vatican reste un monde à part, avec ses réalités, qui sont loin d'être celles du monde.

— De quelles réalités faites-vous allusion ?

— Je parle de l'initiation que tu passeras cette nuit. C'est seulement cette étape franchie que tu seras Pape.

— Une initiation ! s'exclame le nouveau Pape médusé.

— Ta réaction est légitime. La plupart des nouveaux élus réagissent ainsi.

— Écoutez, je ne vois pas l'importance d'une initiation.

— Tu n'es pas pape, pas encore. Tu ne le seras qu'après ton initiation à un ordre secret.

— Je suis navré, mais je ne peux faire ce que vous me demandez

— Tous les papes avant toi se sont fait initier, ne pas le faire reviendrait à briser la chaîne, pourtant le Vatican est une continuité.

— Je ferais exception à cette règle.

— Ici, nul n'enfreint les règles. Le rituel d'initiation te donnera de grands pouvoirs. Nul ne peut régner ici sans ces pouvoirs. Tu te présenteras ici à 23 h 30, habillé d'un pantalon et d'une chemise.

Le nouveau Pape ne pensait pas qu'il lui serait exigé autre chose après sa brillante élection. Il pensait que devenir pape ne tenait qu'à être plébiscité par les cardinaux-électeurs, c'était sans compter avec le côté occulte du Vatican. Le Cardinal de Talla est pris au piège. Être Pape ne se limite pas à l'élection, des étapes supplémentaires sont à franchir. Le nouveau Pape n'appréhende pas le sens d'une initiation à passer secrètement en pleine nuit, et habillé des vêtements du monde. L'homme de Dieu affiche subitement son scepticisme envers les traditions du Vatican. Il est angoissé à l'idée de passer une initiation méconnue du monde chrétien. Depuis son ordination sacerdotale jusqu'à ce jour, Kouadio n'a pas eu vent d'une initiation des Papes. Il est à présent partagé entre ses envies de gloire et la peur de trahir son Christ, car un parfum d'obscurantisme plane sur le rituel qu'il a l'obligation de passer. Au Vatican, la règle stipule que le contenu de la coupe doit être entièrement bu. Tout nouveau Pape doit aller jusqu'au bout. Quiconque pénètre le cœur du Vatican en sort broyé ou métamorphosé.

Hors des locaux du Vatican, un prêtre à la solde de la mafia s'entretient avec des agents du MI6. Il lui est donné des instructions, un téléphone portable et un ordinateur, qu'il doit remettre au Pape.

Alors qu'il est anxieux dans ses nouveaux appartements, le nouveau pape entend frapper à la porte. L'éternel cérémoniaire conduit le messager du MI6 auprès du nouveau Pape.

— Que se passe-t-il ?

— Ce prêtre désire vous parler Saint-Père, répondit Monseigneur Piache.

Le messager est ainsi appelé à prendre place dans le bureau du Pape.

— Que puis-je pour toi jeune prêtre ?

— Je suis chargé de vous remettre ceci Saint-Père.

— De quoi s'agit-il ?

Le prêtre remet au Pape l'ordinateur et joint Sir Smith, tel que recommandé par Margaret et White. Une fois la liaison entre Londres et Rome établie, Kouadio s'empare du téléphone.

— À qui ai-je l'honneur ?

— Sir Smith, directeur du service de contre-espionnage britannique.

— Que me vaut cette attention ?

— Mon messager vous a-t-il remis un ordinateur ?

— Que dois-je en faire ?

— Allumez-le, et tapez le chiffre 6 comme code d'accès.

Kouadio s'exécute, et subitement s'étale devant lui ses ébats avec Fanta. L'étonnement est si grand qu'il n'ose dire mot. Quelle honte ! La hantise du grand maître à reprendre le parchemin est sur le point de porter des fruits. Le bras armé de la franc-maçonnerie tient le Vatican et ne le lâchera qu'une fois le parchemin à Londres. Le MI6 a découvert le point faible du Pape et veut le contraindre à remettre le parchemin. À Londres, dans sa luxueuse tour de verre, Sir Smith est joyeux ; il n'a jamais été aussi proche du but. Le coup porté à Kouadio est imparable. En s'adonnant à la luxure, il a commis l'irréparable. Les preuves détenues par le MI6 sont accablantes pour le nouveau maître du Vatican. Si le monde chrétien venait à voir ces images, le scandale serait des plus retentissants.

Kouadio ne cesse de se souvenir de Fanta, la belle fleur de Kandouraba qui, en ouvrant ses pétales, lui fit découvrir l'enivrant parfum de la passion. En visionnant les images prises par les espions du MI6, la douceur et la beauté du corps de Fanta lui reviennent. Il revisite les courbes de son corps, se perd dans chacune de ses parties les plus intimes et les plus chaudes. Sa rêverie est interrompue par Sir Smith.

— Saint-Père, nous détenons beaucoup de preuves compromettantes contre vous.

— De combien avez-vous besoin ?

— L'argent ne nous intéresse pas.

— Quelle est donc votre motivation ?

— Remettez-nous le parchemin de Salomon et vos secrets resteront tels.

— Écoutez, je viens de remettre le parchemin à Monseigneur Stuart.

— Je n'ai que faire monsieur, je veux ce parchemin, sinon votre intimité sera étalée dans les médias.

Les choses sont loin d'être ce qu'elles paraissent, elles ont toujours une portée mystérieuse. Chaque objet est à sa place au Vatican. Une image, une statue ou un symbole peut en cacher un autre. Ainsi, la sculpture de la salle Paul VI, impressionnante par sa noirceur, cache une vérité. C'est à sa conquête que se lance le Pape nouvellement élu.

À contrecœur, à minuit pétante, il prend la direction de la salle des enfers. Il y est conduit par Monseigneur Stuart, gardien des arcanes du Vatican. Le nouveau Pape a été coaché au préalable par son gourou. Il lui a été expliqué la conduite à tenir : ne poser aucune question durant le rituel et dire des Amen lorsque cela lui sera exigé. Le nouveau Pape a aussi été contraint de ne porter ni soutane ni chaussure avant de passer son initiation. C'est vêtu d'un pantalon et d'une chemise qu'il fait son entrée dans l'immense salle. Le lieu est éclairé d'une bougie jaune fixée au-dessus de la statue dont les ramifications s'imposent dans la salle Paul VI. Le Pape et le gardien des arcanes se sont enfermés dans la salle déserte. Tout comme ses prédécesseurs, il aura à dire sa première messe de Pape ici.

Debout, le nouveau Pape suit à la lettre les instructions de son guide. C'est ainsi qu'il lui est ordonné d'ôter ses vêtements. Il doit se débarrasser des habits du monde, pour revêtir ceux de Pape. Il s'exécute : son pantalon se détache de sa hanche, glisse sur ses jambes, tombe sur ses chevilles avant de se retrouver sur le sable. Sa chemise ne restera pas accrochée à son torse, il la déboutonne, l'enlève, et voici le Pape nu, tout nu, dépourvu de la moindre étoffe. La salle Paul VI a subi un réaménagement : le carlage de l'estrade a été entièrement recouvert de sable. Ce lieu, souvent bruyant lors des audiences publiques accordées par les Papes, est silencieux et étrange. Seules deux silhouettes sont visibles, deux ombres se distinguent dans la pénombre d'une salle qui laisse planer la peur et le mystère.

Avant leur initiation, bien avant de connaître la lumière, les Papes nouvellement élus doivent passer une épreuve sans laquelle ils ne peuvent recevoir les pleins pouvoirs. Échouer à cette épreuve condamne le Pape à la mort. Échouer à ce test ne laissera à Kouadio que quelques jours, voire de semaines à vivre. Ne pas réussir cet essai précédant le rituel d'initiation, annule la cérémonie d'initiation. Sans initiation, aucun pape ne peut régner au Vatican. Sans initiation, un Pape bien qu'élu est désuet et condamné à rejoindre l'Apôtre Pierre sous terre. Tout nouveau Pape doit se mettre à l'école des arcanes du Vatican avant de prétendre le diriger. Le nouveau pape s'est vu signifier toutes ces règles. La mort lointaine d'un Pape après son élection est la preuve que l'initiation des Papes peut avoir des revers. La moindre faute de la part du nouveau Pape peut lui être fatale. Le plus petit des égarements du néophyte durant le rituel est sanctionné par la mort.

L'épreuve que doit passer le Pape élu n'est pas celle d'un saut en hauteur, mais dans l'inconnu. Il doit lire les écriteaux gravés sur le parchemin de Salomon. La lecture de cette puissante formule magique plonge dans l'hallucination. Le lecteur perd momentanément ses facultés.

Aidé par la torche du gardien des arcanes, le nouveau pape lit un à un les écriteaux gravés sur le vieux parchemin. Quelques minutes plus tard, il est pris de vertige et rentre en transe. Son corps est présent dans la salle d'initiation, pourtant son esprit est ailleurs, dans une autre dimension. Il semble habité et hanté par une force surnaturelle. Il est de moins en moins en possession de ses capacités mentales et physiques. L'épreuve qu'il doit passer exige pourtant une grande lucidité. Elle consiste à gravir les marches pour se hisser sur l'estrade de la salle Paul VI, sur laquelle se dresse une étrange sculpture. Sur cette estrade est déversé le sable, recouvert d'une immense nappe sur laquelle est dessinée la carte du monde. Il faut au nouveau Pape de marcher sur tous les continents représentés sur la nappe, pour être certain qu'il dominera le monde. « Les lieux, où fouleront vos pieds, vous seront donnés en héritage », stipulent les écritures. Le gardien des arcanes s'appuie sur ce passage de la Bible pour mettre le néophyte à l'épreuve. Piétiner tous les continents est le signe que la terre entière sera sous l'hégémonie du Pape élu. Faillir montre son incapacité à marquer le monde de son empreinte. Chaque Pape doit marquer son époque.

Kouadio est ivre, il marche en titubant, la formule magique du parchemin l'a considérablement troublé. Il lui est demandé d'emprunter les marches menant sur l'estrade où une bougie brûle sur la tête de la statue de la salle Paul VI. Dans l'immense et silencieuse salle, le nouveau Pape franchit un à un les escaliers. Son esprit doit certainement être au 7e ciel, vu la nudité que lui a imposée le gardien des arcanes. Aller à la découverte des secrets du Vatican est réservé aux esprits éveillés. Kouadio est loin d'avoir atteint l'éveil, mais son esprit résiste et parvient à guider son corps jusque sur la nappe représentant le monde. Un après l'autre, ses pieds marchent sur les continents, les pays et les villes du monde. Le nouveau Pape a réussi, la terre sera sous son emprise, elle sera son empire ! Il est digne de passer le rituel d'initiation à l'ordre secret des papes. Son esprit est compatible avec les énergies du parchemin. La messe peut alors commencer. Le gardien des arcanes prononce des paroles tirées de la 1re Épître de Jean.

— Au commencement était la parole, et la parole était avec Dieu et la parole était Dieu.

Une fois ces paroles proférées, une mélodie envahit spontanément la salle. OOOOOOOOOOMMMMMMMM. Le son pénètre les murs et les objets, la salle Paul VI tout entière vibre sous l'effet d'une mystérieuse mélodie. Le nouveau Pape tremble de tous ses membres. L'étrangeté vient d'élire domicile dans la salle Paul VI, le nouveau Pape en est perturbé. Le son qui hante la salle depuis quelques instants l'a plongé dans un monde irréel et immatériel. Pendant que résonne le OOOOOOOOOMMMMMMM, une odeur d'encens se répand dans la salle. L'air devient presqu'irrespirable, les deux hommes sont presqu'invisibles, engloutis dans une épaisse fumée. La salle Paul VI vient d'ouvrir une fenêtre vers le monde paranormal. Y retentît le son originel, la vibration à base de laquelle tout a été créé. Toutes les conditions pour le rituel d'initiation sont réunies, le mage peut enfin commencer la séance. Il débute par une prière, une supplication.

— Oh toi, gouverneur de la terre nous te prions de nous assister durant cette initiation.

Après la prière introductive, il est remis un papyrus au nouveau Pape, qu'il doit lire à haute voix et avec foi, ce qu'il fait sans hésitation.

— Oh maître de la terre, moi Kouadio, je jure d'être un serviteur fidèle. Je demande que vous me combliez des biens de la terre et de tous les pouvoirs, afin que je puisse mener à bien ma mission. Je m'incline devant votre grandeur et votre puissance, je ne m'en détournerais jamais, j'en fais le serment.

Le nouveau Pape a fini sa partition, c'est au gardien des arcanes de reprendre la parole. Vêtu d'une soutane d'une blancheur éclatante, Monseigneur Stuart porte au-dessus de sa tête une couronne jaune ; il n'est point à genoux comme le nouveau Pape, il est confortablement assis sur un large et grand fauteuil.

Pendant que retentit le OOOOOOOMMMMMMM, les deux hommes disent à l'unisson AAAAAMMMMEEEENNN. Le Saint-Père, le maître du Vatican demeure les genoux pliés sur le sable tandis que, le gardien des arcanes, assis sur son fauteuil déferle des paroles, un flot, un torrent de mots.

— Oh toi porteur de lumière, voici devant toi ton serviteur humilié. Rehausse-le, guide-le, protège-le et illumine-le, afin qu'il s'affranchisse des ténèbres de l'ignorance pour la lumière de la vérité.

Monseigneur Stuart ramène ensuite une énorme et pesante épée qu'il plante devant le nouveau Pape en disant.

— Voici l'épée, elle te précédera en tout lieu, et en toute circonstance ; prend appui sur elle, lève-toi et marche.

De ses deux mains, Sa Sainteté Kouadio s'agrippe sur le manche de l'épée, et se lève sous un tonnerre d'applaudissements. Les ampoules s'allument, la salle tout à coup s'éclaire, et le nouveau Pape y découvre Vingt-trois visages. Ces vingt-trois personnages sont confortablement assis sur des fauteuils. Leur entrée dans la salle Paul VI fut consécutive à sa réussite au test avant le rituel d'initiation. La pénombre du lieu et l'état dans lequel se trouvait le nouveau Pape après la lecture de la formule magique, l'empêchaient d'apercevoir les personnes autour de lui. Seulement, le gardien des arcanes savait que des personnes autres que lui étaient dans la salle. Comment aurait-il pu l'ignorer, alors que ces vingt-trois individus sont vêtus de la même manière que lui ? Comme lui, ils sont assis sur de grands fauteuils. En plus d'être des personnes d'un âge avancé, tous ont des têtes ornées de brillantes couronnes. Ces vingt-quatre vieillards, vêtus de blanc et coiffés de jaune, forment un cercle autour du nouveau Pape. Le cercle ne doit pas contourner la sculpture de la salle Paul VI. Aucun des vingt-quatre vieillards présents ne doit se placer derrière la statue, même pas leur guide.

Le nouveau Pape est à présent debout, les deux mains liées sur l'épée, dont le bout pointe sur le sable symbolisant le monde. Rien n'a été placé au hasard pour ce rituel d'initiation. Tout est en ordre, afin que le nouveau Pape intègre l'ordre occulte des Papes. Il lui a été exigé de rester nu pour qu'il emprunte le chemin du premier homme selon la Genèse. Le créateur a façonné l'homme sans le moindre vêtement. Le néophyte doit également être dépourvu de tout avant son entrée dans l'ordre des Papes. Le nouveau Pape est nu comme un ver de terre, nu comme tout homme sorti de terre. Il est en tenue d'Adam avant la dégustation de la pomme, symbolisant la connaissance. La nudité du nouveau Pape est synonyme de son ignorance des véritables codes et lois régissant l'univers. Avant de passer à l'étape suivante, le gardien des arcanes s'adresse à lui.

— Sache que le sang est la clé de l'Église, la clé de voûte, la pierre angulaire sans la laquelle elle n'aurait jamais vu le jour. Le sang du Christ a coulé à Golgotha pour que naisse l'Église, elle fut solidifiée par celui versé par les disciples et les martyrs.

Chaque fois que coule le sang au nom de l'Église, elle devient plus puissante.

Après une petite pause, Monseigneur Stuart revient à la charge, muni d'une bassine transparente et translucide contenant un liquide rouge. Ce rouge n'est point celui du vin transformé en sang du Christ lors des célébrations eucharistiques. Il est celui du sang des Papes décédés, mêlé à celui des martyrs de l'Église.

— Kouadio, serviteur du Christ, es-tu prêt à suivre l'exemple du Christ, te sacrifier comme lui, verser le sang comme lui et comme l'ont fait tes prédécesseurs pour l'Église ?

— Oui, je le veux.

— Kouadio, es-tu prêt à faire un avec le Christ et Pierre que tu t'apprêtes à succéder sur terre ?

— Oui, je le veux.

Debout et nu, les mains scotchées sur le manche de l'épée, et faisant face à la sculpture de la salle Paul VI, le nouveau Pape est obéissant comme un agneau. Il tend sa main droite et le gardien des arcanes lui fit une entaille sur l'annulaire droit, doigt sur lequel sera placé plus tard l'anneau magique. Il oriente sur la bassine devant lui les coulées de sang s'échappent de son annuaire. Cela s'accompagne des mots, encore des mots. Le verbe rythme chaque étape de l'initiation des Papes.

— Kouadio, voici ton sang mêlé à celui de tes prédécesseurs et à celui des martyrs. Comme le Christ, tu viens de verser ton sang pour l'Église. Toi, tes prédécesseurs, les martyrs et le Christ êtes à jamais liés, ce qui est lié ici, l'est dans les cieux.

Le nouveau Pape répond par Amen. Le gardien des arcanes ne s'arrête pas de parler.

— Kouadio, aussi vrai que tu as été ordonné prêtre, aussi vrai qu'à chaque célébration eucharistique, tu transformes le vin en sang du Christ pour le boire, je t'ordonne de boire du sang de cette bassine ; afin qu'il inspire chaque mot, mais surtout qu'il t'empêche de divulguer le secret de cette initiation.

Sans mot dire, obéissant jusqu'au bout, le nouveau Pape boit une gorgée du mélange du sang des martyrs, du sien et celui de ses prédécesseurs. Une fois la mixture ingurgitée, le Pape élu se voit remettre une soutane rouge, suivi des paroles du gardien des arcanes.

— Puisque tu as fait un pas vers la connaissance, ne sois plus nu. Tu viens de manger la pomme. Tes yeux connaissent à présent la vérité, recouvre donc ton corps de cet habit rouge symbole de pouvoir.

Le nouveau Pape recouvre rapidement son corps de la soutane rouge sous une deuxième salve d'applaudissements. Il en avait assez d'être nu devant vingt-quatre hommes, bien qu'inoffensifs. Bien que vêtu, l'énorme épée ne quitte pas ses mains, et le « OOOOOOMMMMM » ne s'arrête pas de retentir. Le gardien des arcanes donne de la voix. Il demande au nouveau Pape de tremper ses pieds nus dans la bassine de sang. Une fois de plus, le verbe est en action : les mots à profusion, une diarrhée verbale, l'officiant de l'initiation des Papes ne s'arrête pas de parler.

— Voici tes pieds trempés dans ce mélange de sang, qu'il guide chacun de tes pas sur la terre.

Debout, le corps recouvert d'une soutane rouge, les pieds trempés dans la bassine de sang et les mains attachées à l'épée, Le nouveau Pape écoute.

— Kouadio te voici à présent membre de la famille des illuminés. Le sang dans lequel sont plongés tes pieds te suivra en tout lieu. Voilà pourquoi dorénavant, tes pieds seront chaussés de rouge.

Au même instant, il est remis au nouveau Pape des chaussures rouges qu'il porte aussitôt. Ces chaussures habituellement portées par les Papes sont le symbole les liant à jamais à leur initiation occulte. Le nouveau pape retrouve sa sérénité. Il est rassuré, les chaussures qu'il porte ont la même couleur que celles de ses prédécesseurs.

Il est minuit passé de plusieurs minutes. Depuis qu'il a fait son entrée dans la salle Paul IV, son regard ne s'est point détourné de la sculpture bâtie sur l'estrade. Le nouveau Pape est entouré de vingt-quatre vieillards, membres de la plus vieille société secrète du Vatican. C'est à eux que revient la charge d'initier les Papes élus. Le rituel d'initiation est loin d'être terminé, pour preuve, une soutane blanche et un couvre-chef de couleur similaire sont remis au nouveau Pape. C'est une étape de plus vers sa consécration et son intronisation. Comme toujours, le verbe n'est pas en reste.

— Voici ton habit, cette soutane blanche ne doit jamais quitter ton corps, mais n'oublie pas qu'en dessous se cache la rouge. À l'image de ces deux soutanes, tu mèneras une double vie durant ton pontificat : une que verront les profanes et l'autre que seuls connaissent les initiés.

Le nouveau Pape revêt au-dessus de la soutane rouge, la blanche. L'étape du port de la soutane blanche achevée, il lui est remis l'anneau magique, et la clé de la porte menant au sépulcre de l'Apôtre Pierre. Vient ensuite la remise de la férule, le bâton des Papes. L'officiant du rituel d'initiation ne manque pas de dire quelques mots pour agrémenter cette étape de plus.

— Voici ta férule, ton bâton de pèlerin, qui devant les profanes est une croix, mais en réalité symbolise l'épée du guerrier que tu es.

À cet instant, le nouveau Pape se sépare de l'épée et accapare la férule. Son initiation est quasiment terminée. Il ne lui reste qu'à sceller à jamais le pacte avec le régent de la terre représenté par la statue de la salle Paul VI. Sous les ordres du gardien des arcanes, le nouveau Pape tend les deux mains en direction de la statue, puis fait pareillement sur les vingt-quatre vieillards. La position de ses bras est la même que celle de la statue érigée dans la salle Paul VI. Le nouveau Pape devra dorénavant saluer les foules les bras écartés et tendus vers l'avant. L'initiation s'achève, il est alors convié à s'asseoir sur le fauteuil du vicaire du Christ.

Il s'assied sur son siège de Pape, sous les derniers applaudissements des vingt-et-quatre vieillards, qui déclarent à l'unisson.

— Kouadio, te voici devenu Pur et Innocent comme un agneau. Tu es à présent digne de recevoir la Puissance, la Richesse, la Sagesse, la Force, l'Honneur, la Gloire et la Louange, pour les siècles et les siècles. Rappelle-toi que tu ne devras prendre aucune décision sans au préalable nous consulter.

— Je vous consulterai toujours ô vénérés sages. Mais dîtes-moi, pourquoi durant le rituel avoir appelé le maître de la terre, et pas des cieux ?

— Es-tu sur la terre ou dans les cieux ? rétorqua le gardien des arcanes.

— Je suis sur terre. répondit le nouveau Pape.

— Durant ton ordination sacerdotale, n'cst-cc pas facc contre terre que tu étais allongé ?

— C'est cela, prolongea le nouveau Pape.

— Sache que la terre est notre mère, à elle nous devons tout.

— Et pourquoi le « *Notre Père* » dit-il le contraire ?

— Cela a été formulé ainsi pour que les non-initiés focalisent leur attention vers les cieux, pendant que les initiés amassent les richesses de la terre. Voilà pourquoi un homme de votre race n'a jamais été souhaité à la tête du Vatican.

— Est-ce à cause de la couleur de la peau ?

— Aucunement pas. Seulement les Africains pensent que les pauvres hériteront du paradis. Élire un noir à la tête du Vatican était un risque qu'il explique à ses frères que l'image du ciel évoquée dans la bible est une métaphore.

— Est-ce à dire que la bible est fausse ?

— Pas du tout, ce n'était qu'un moyen pour vous détourner des biens matériels.

Le nouveau Pape vient de s'affranchir de l'esclavage de l'ignorance, et détient les pouvoirs de Pape. Il peut à présent régner sur le Vatican et sur le monde. Le monde et ses richesses lui sont acquis. Les habitants de la terre lui feront plus que jamais des salamalecs. À Sa Sainteté Kouadio le pouvoir, la richesse et les honneurs. Lui qui il n'y a pas si longtemps trouvait le parchemin de Salomon maléfique, a changé d'avis en changeant de statut. Le nouveau Pape a mis de l'ordre dans ses idées en adhérant à un ordre secret du Vatican. Comme ses prédécesseurs, il est devenu un homme de secret. Comme eux, il lui a été donné un coffret après l'initiation. Une boîte métallique habillée de rouge.

— Le contenu de ce coffret est précieux, garde-le jalousement, tes prédécesseurs en ont fait autant.

— Merci, répond le nouveau Pape.

— Ouvre-le et découvre ce qui s'y cache.

Devenir Pape n'est décidément pas chose aisée. Le Vatican est une maison de mystères. L'un après l'autre, ils se dévoilent au nouveau Pape.

Il appréhende différemment le rôle et la mission de Pape, après son initiation occulte, méconnue de la majorité des prélats Catholiques. Il s'apprête à découvrir une vérité autre que celle apprise durant le rituel d'initiation. Il ne manque pas de s'interroger sur la nature de la vérité dissimulée dans le coffret rouge. Que peut-il bien cacher ? L'information doit avoir une importance capitale, pour lui avoir été révélée à la fin de l'initiation. Le coffret rectangulaire pourrait bien contenir le nom caché du créateur, ou la vérité sur l'origine de toute chose.

Le nouveau Pape a subitement peur de connaître la vérité. Il hésite, et estime déjà connaître bien des secrets, et pas des moindres. C'en est de trop, il n'aimerait pas connaître davantage. Seulement le Vatican est un monde de règles, et l'une d'elles stipule que les choses ne sont pas faites de moitié. La coupe doit entièrement être consommée. Les règles sont les règles. Ici, elles ne peuvent être enfreintes par quiconque, surtout pas par un Pape noir. Il est formellement interdit de regarder en arrière. Regarder en arrière porte malheur, comme en a été victime la femme de Loth dans l'Ancien Testament. Regarder en arrière est synonyme de parjure, et les coupables de parjure n'ont qu'un sort au Vatican, la mort. Kouadio n'est pas devenu Pape pour mourir, il veut vivre et connaître la gloire comme ses prédécesseurs. Mais comme eux, il ira dans la tombe avec le secret de la boîte rouge.

Kouadio se fait déjà appeler Saint-Père par le gardien des arcanes du Vatican, il est reconnu comme Pape à part entière. Il n'a plus rien à cacher à ces vieillards qui, durant plus d'une heure, ont contemplé sa nudité.

— J'ai une confession à vous faire.

— Nous vous écoutons Saint-Père.

— Je n'ai pas respecté mon vœu de chasteté, je me suis accouplé avec une femme.

— C'est monnaie courante dans l'Église, rien de nouveau.

— Je le sais. Seulement, cet acte a été filmé.

— Par qui ?

— Par le MI6.

— Sur quoi fondez-vous tes dires ?

— J'ai reçu un ordinateur avec des photos de moi, puis j'ai été contacté par un homme prétextant être le directeur du MI6.

— Que voulait-il ?

— Le parchemin en échange de son silence.

— Pas question, la personne derrière cette machination est un franc-maçon. Affirme le gardien des arcanes.

— Comment le savez-vous ? demande Kouadio surpris.

— Après tout ce que tu as vécu cette nuit, doutes-tu encore de notre pouvoir ?

— Pas du tout, vénérés maîtres.

— Sachez donc que nous sommes les vingt-quatre vieillards mentionnés dans l'apocalypse. Nous connaissons le passé et le futur.

— Que faire grand guide ?

— Nous riposterons avec force.

— Qu'entendez-vous par cela ô illustre gardien des arcanes ? demanda le nouveau Pape.

— Nous frapperons cet impie, nous le briserons, et l'anéantirons à jamais.

Le dépositaire des traditions du Vatican est furieux. L'on peut tout demander au Vatican, le salir même, mais ne jamais désirer le parchemin de Salomon. Sir Smith a eu la mauvaise idée de convoiter une chose interdite, il doit en payer le prix.

Attaquer le grand maître est faisable, mais s'en prendre au directeur du MI6 est laborieux. Sir Smith bénéficie des renseignements et des moyens humains colossaux, venir à bout d'un tel homme nécessite un plan bien ficelé. Des questions supplémentaires sont posées à Kouadio, dans le but de préparer une riposte digne de ce nom.

— Que lui as-tu promis Saint-Père ?

— Il m'a donné jusqu'à demain pour lui remettre le parchemin.

— Nous le surprendrons.

Heureusement pour le Vatican que les vingt-quatre vieillards qui le dirigent dans l'ombre ne sont pas des cardinaux ordinaires. Pour éviter qu'un scandale n'entame la foi des chrétiens Catholiques, une solution urgente doit être trouvée pour faire taire le maître chanteur. Le chasseur est devenu la cible. Il ne se doute pas qu'il est dans le viseur d'un puissant ordre occulte.

Comme chaque État, le Saint-Siège possède une unité spéciale obéissant aux ordres des vingt-quatre vieillards. Ces vaillants soldats ont pour mission de défendre l'honneur et les intérêts du Vatican dans le monde. Le plan se met en place, une imitation du parchemin est livrée au chef du commando.

Quelques heures après l'intronisation de Kouadio à la tête du Vatican, aux premières heures de l'aube, un groupe d'hommes se prépare à faire cap sur Londres, mais avant, le contact avec le directeur du MI6 est renoué.

— Monsieur le parchemin est en ma possession, que dois-je faire ?

Le visage du directeur du MI6 s'illumine. Les efforts entrepris par la franc-maçonnerie sont finalement récompensés avec la promesse du Pape de remettre son legs. Le grand maître ne peut contenir sa joie. Beaucoup de ses frères de loges sont informés de l'heureuse nouvelle. Les directives sont données par Smith à son interlocuteur.

— Deux de mes agents sont à Rome, à eux vous remettrez le parchemin.

— Pas question, mes envoyés vous céderont le parchemin en mains propres et en échange des négatifs des photos.

— Vous n'êtes pas en position de marchander Saint-Père.

— Vous désirez le parchemin, alors suivez à la lettre mes instructions.

La chose la plus convoitée par l'ordre maçonnique est à portée de mains, le grand maître ne peut laisser échapper une telle aubaine. Il est contraint de se plier aux exigences de son interlocuteur.

— Saint-Père, j'attends vos hommes.

Tout se déroule comme prévu par les vingt-quatre vieillards, le maître chanteur s'est montré coopératif. Dans les locaux du Vatican, des hommes habillés aux accoutrements des cardinaux reçoivent les dernières instructions de la part du gardien des arcanes. Après une dernière mise au point, quatre cardinaux, font cap sur Londres, où ils ont pour mission de supprimer la menace qui pèse sur le Vatican. À l'instar des agents du MI6, ce sont des soldats entraînés et équipés ; ils forment une équipe de choc, c'est un commando d'élite.

Porteurs de passeports diplomatiques, munis d'ordres de mission signés du président de l'État du Vatican, et les corps recouverts de soutanes, les quatre tueurs font aisément passer un énorme colis à l'aéroport d'Heathrow. Une fois dans la capitale britannique, l'on ne reconnaît plus les quatre cardinaux, tous sont devenus des hommes du monde, habillés de jeans et tee-shirts.

Dans un coin distant du centre de Londres, le directeur du MI6, son adjoint, Coll et Margaret espèrent l'arrivée prochaine des émissaires du Pape. Ils ont quitté leurs beaux et spacieux bureaux, pour se recroqueviller dans un petit entrepôt. Dans cette cache du MI6, aucune mesure exceptionnelle n'a été prise. Les hommes du Pape ne sont pas une menace pour sir Smith et sa suite. Le MI6 est persuadé tenir le Vatican. Toutes les personnes impliquées dans cette mission pensent que l'échange se déroulera sans heurt. Le Saint-Siège connaît la puissance et la nuisance d'un service de renseignement. Les penseurs du MI6 sont certains que le Vatican ne peut rien entreprendre sur le territoire anglais.

Une Mercedes noire avec à son bord un individu vient de se garer devant un entrepôt fermé. Le portail s'ouvre et l'entrepôt avale le véhicule et son chauffeur. Une puissante déflagration retentit dans le ciel de Londres. La cache du MI6 est en cendres, ses occupants calcinés, aucun survivant au moment de l'arrivée des pompiers et des secours. Le feu était si gourmand qu'il a dévoré le lieu sans ménagement. Dans la foule présente sur le site de l'attentat, quatre hommes sont fiers de leur crime.

Une fois le lieu de l'échange connu, le commando du Vatican a dérobé une voiture, l'a chargé d'explosifs avant de convaincre un clochard de la conduire jusqu'à un entrepôt. Le pauvre, ravi d'avoir touché le gros lot s'empressa d'appuyer sur l'accélérateur, précipitant ainsi les hommes du MI6 dans le gouffre de la mort. L'obstination du grand maître à posséder le parchemin a fini par lui coûter la vie. Le Vatican jubile, ses maîtres applaudissent, Kouadio respire. Sir Smith et ses agents sont morts, le berger de l'Église n'a plus rien à craindre, il peut aisément conduire ses brebis jusque dans les verts pâturages.

Plus puissant que jamais, le nouveau Pape décide de reformer l'Église. Il se hâte de modifier les textes régissant le Catholicisme romain, sans au préalable consulter ses maîtres dans l'ordre occulte. C'est une entorse au règlement du Vatican, Kouadio a désobéi aux vingt-quatre vieillards. Le sentiment d'être doté de grands pouvoirs l'a aveuglé.

Après son élection et son initiation occulte, Sa Sainteté Kouadio convoque tous les cardinaux du monde. Quelques jours plus tard, les parvis du Vatican, ses allées et ses salles sont envahis d'hommes aux soutanes noires. Les cardinaux sont venus des quatre coins du monde pour écouter leur chef. Le chef d'orchestre du Saint-Siège à tout entrepris de sorte que l'extraordinaire réunion décidée par le Pape se déroule dans les règles. L'incontournable cérémoniaire met une fois de plus son savoir-faire au service du Vatican. Monseigneur Piache organise avec maestria la rencontre entre les cardinaux et le Saint-Père. C'est par le « Notre père » que débute la réunion. La prière d'ouverture terminée, les cardinaux sont priés de rester assis. Le patron de l'Église Catholique romaine peut alors prendre la parole.

En position verticale, les mains sur le pupitre, le Pape s'adresse aux serviteurs de l'Église.

— Mes chers frères dans le Seigneur, je suis heureux de vous savoir nombreux et en santé. Que la paix du Christ vous accompagne chaque jour. Notre Sainte Église dont je viens de prendre la tête, est à la croisée des chemins, elle doit-être en conformité avec son temps. Bien que Pierre en soit le fondateur, nous ne sommes plus à l'âge de Pierre. Après maintes réflexions, je suis parvenu à la conclusion que l'Église ne peut rester en marge de la marche du monde. Dès ce jour, tout serviteur de l'Église peut s'unir avec la femme de son cœur.

Les cardinaux se lèvent spontanément et saluent l'annonce du Pape. La nouvelle fait grand bruit dans le monde, le nouveau Pape a rompu le célibat des prêtres, tous sont désormais libres de convoler avec les femmes de leurs choix.

Les réformes entreprises par Kouadio ramenèrent un nombre inestimable de nouveaux chrétiens vers l'Église. Les chapelles et les cathédrales étaient désormais combles d'hommes désireux écouter la bonne nouvelle. L'élection d'un homme de race noire à la tête de l'Église a rassuré plus d'un sur son impartialité. Dieu créateur de tout est pluriel et universel, et son Église doit être dirigée par tous les hommes sans distinction.

Pendant que le monde chrétien apprécie la nouvelle loi, dans les chambres noires du Vatican, des hommes sont offusqués. Ils se sentent trahis. Le Pape n'a pas respecté le pacte fait lors de son initiation secrète. Il a rompu le célibat des prêtres, une tradition pourtant centenaire. Kouadio a enfreint une règle d'or, il est passible d'un blâme.

Les vingt-et-quatre vieillards, amenés par leur guide sont en réunion secrète. Les conseils de discipline au Vatican sont particuliers, car se déroulant en l'absence des fautifs.

— Grand guide, la conduite du Pape est décevante. déclara un des vieillards.

— Raison de plus pour statuer sur la mesure à prendre. Prolongea un autre.

— Dans son cas, une excommunication n'est pas envisageable, que pouvons-nous faire ?

— Nous pouvons le contraindre à démissionner. s'éleva une autre voix.

— Le connaissant, il ne peut l'accepter. Et même si c'était le cas, le monde se douterait de quelque chose.

— Pourquoi ? demanda la même voix.

— N'oubliez pas qu'il est en parfaite forme physique et psychique, un congé forcé suscitera des polémiques.

— Nous n'avons que faire du reste du monde, agissons, dit le gardien des arcanes.

— Nous ne pouvons nous passer du monde, Grand guide.

— Que proposes-tu donc ?

— Il serait préférable qu'il soit déclaré malade afin que son éviction du Vatican soit consommée du monde chrétien.

— Le nouveau Pape a osé marcher hors du chemin tracé, il a franchi la ligne rouge. Il doit mourir. déclara le gardien des arcanes.

— Je trouve votre verdict excessif.

— Nous sommes dans un ordre, cela implique une discipline. Nul ne doit enfreindre les règles ici, Kouadio mérite la mort. poursuivit le gardien des arcanes.

— Accordons-lui une dernière chance.

— Je ne suis pas de cet avis, il a été averti la nuit de son entrée dans l'ordre, être Pape demande une exemplarité, à cet effet aucun sursis ne peut lui être accordé. Kouadio a failli, il mourra.

La décision de monseigneur Stuart est irrévocable. Le sort de Kouadio est scellé.

— Kouadio mourra, mais avant il doit lui être accordé le temps pour régler le conflit en Israël.

— Sous votre respect ô vénéré guide, un Pape autre que lui peut le faire.

— Depuis que se succèdent les Papes ici, connais-tu un qui ait pu résoudre ce problème ?

— Non.

— La prophétie dit que seul un homme de race noire à la tête du Vatican ramènera la paix en terre Sainte. C'est pour cette raison que j'ai accepté qu'il soit proclamé. Sinon à l'annonce des résultats, il aurait été supprimé et la nouvelle de son élection n'allait jamais sortir de ces murs.

— Vénéré grand guide, qu'avons-nous à gagner si la paix revenait en Israël ?

— La réalisation de cette prophétie remettra la sainte Église au-devant de la scène, et les brebis égarées reviendront à elle. Grandes seront notre légitimité et notre Puissance.

Sa Sainteté Kouadio s'est accoutumée à sa nouvelle vie de Pape. D'audience en audience, et de voyage en voyage, il parcourt le monde. Après le tour de plusieurs pays et continents, le Pape noir est en visite pontificale en Afrique noire. Il est sur sa terre natale, dans la ville de Talla. En le voyant vêtu d'une soutane blanche et d'une calotte blanche, les habitants de Talla s'écrièrent : « Dieu est des nôtres. » Pour eux, la couleur qu'arbore le Pape est la preuve irréfutable de son étroite communion avec Dieu. À leurs yeux, Kouadio est un Saint homme, il ne saurait avoir plus saint sur terre, déjà qu'il se fait appeler Saint-Père. Son accueil à Talla fut grandiose et solennel.

En repartant au Vatican après un bref séjour dans sa région, le Pape ramena avec lui Fanta, sa dulcinée de toujours. Bien que devenu Pape et initié à un ordre occulte, le cœur de Kouadio ne cesse de battre pour la danseuse de Kandouraba.

Arrivée à Rome, Fanta ne fut guère dépaysée en voyant l'urbanisation de la capitale italienne, l'essor de Talla l'ayant depuis habituée aux villes chics. Le climat fut le seul élément perturbateur, jusqu'à ce que Kouadio, l'amant de toujours, la réchauffe de son étreinte.

En ce dimanche matin du temps ordinaire, la célébration du jour ne revêt rien d'extraordinaire. Partout dans le monde, les messes seront dites avec simplicité et piété. Dans la chapelle Nicoline, parmi les religieuses venues assister à la messe, se trouve Fanta la concubine du Pape.

Le gloria se chante, puis le credo, jusqu'au sanctus. Le célébrant principal prononce les mots habituels, et d'un geste de la main transforme l'hostie en corps du Christ. L'alchimie est faite. Le Pape partage aussitôt le corps du Christ avec les autres célébrants. Sa Sainteté Kouadio et deux cardinaux mâchent le corps du Christ sans se soucier des os, à moins que le Christ n'en ait pas eu ! Puis vient le moment de la consécration du vin en sang. Le Pape dit le même refrain, puis d'un geste de la main transforme le vin en sang. Les yeux levés vers la voûte de la somptueuse chapelle Nicoline, il caresse le calice. De haut en bas, ses doigts parcourent la coupe remplie du sang du Christ. Puis de sa main droite, la soulève jusqu'à ses lèvres tremblantes.

Le sang du Christ glisse sur sa langue, emprunte la trajectoire tracée par sa gorge, avant de se déverser dans son estomac. Subitement, il ressent une étrange sensation d'étourdissement. L'air hagard, il revoit en quelques secondes le film de toute son existence. Déconnecté de la réalité, il n'est au Vatican que de corps, son esprit parcourt Talla et kandouraba à la recherche des moments forts ayant marqué sa vie. Il revoit tour à tour son enfance, l'obtention de ses diplômes, son ordination sacerdotale, sa première nuit d'amour avec Fanta, et son initiation occulte dans l'ordre des Papes. Ses pensées le baladent jusque dans les collines de Kandouraba. En voyant ces images de rêves, il esquisse un sourire, un dernier sourire froid et glacial et s'écroule.

Les nombreux fidèles qui paraissaient scotchés sur les bancs se lèvent spontanément, effrayés par la chute du Pape. Les cris envahissent et étouffent aussitôt la chapelle Nicoline. Les secours arrivent. Le corps du Saint-Père est transporté sur une civière, sous les yeux de Fanta remplis de larmes. La fille de Kandouraba pleure son héros, son amant dont la forme lors des ébats ne laissait présager un tel accident. Sur le lit, il a toujours fait preuve d'une fougue à faire pâlir Éros dans ses plus beaux jours. Sa condition physique était irréprochable, son subit affaiblissement est inexplicable !

Le ciel s'est abattu sur Fanta. Le ciel n'a pas exaucé ses prières. Kouadio est déclaré mort par les médecins du Vatican, il a succombé à un arrêt cardiaque. Pendant que se réjouit le gardien des arcanes, le monde entier pleure Kouadio, le premier Pape noir.

Imprimé en Allemagne
Achevé d'imprimer en juillet 2020
Dépôt légal : juillet 2020

Pour

Le Lys Bleu Éditions
83, Avenue d'Italie
75013 Paris